Федеральный государственный образовательный стандарт
Образовательная система «Школа 2100»

Р.Н. Бунеев, Е.В. Бунеева

ЛИТЕРАТУРНОЕ ЧТЕНИЕ

УЧЕБНИК • 4 класс • Часть 1

В ОКЕАНЕ СВЕТА

Рекомендовано Министерством образования
и науки Российской Федерации

Москва

БАЛАСС

2011

УДК 373.167.1:821.161.1+821.161.1(075.3)
ББК 84(2Рос-Рус)я71
Б91

Федеральный государственный образовательный стандарт
Образовательная система «Школа 2100»

Совет координаторов предметных линий «Школы 2100» — лауреат премии Правительства РФ
в области образования 2008 года за теоретическую разработку основ образовательной
системы нового поколения и её практическую реализацию в учебниках

*На учебник получены положительные заключения РАН (от 01.11.2010)
№ 10106-5215/272 и РАО (от 20.10.2010) № 01-5/7д-626*

Б91   Бунеев Р.Н., Бунеева Е.В.
Литературное чтение. 4 класс. («В океане света».) В 2-х ч. Ч. 1. — 3-е изд.,
перераб. — М. : Баласс; Школьный дом, 2011. — 224 с., ил. (Образовательная
система «Школа 2100»; серия «Свободный ум»).

ISBN 978-5-85939-643-6 («Баласс»)
ISBN 978-5-91904-066-4 («Школьный дом»)

Учебник предназначен для работы с учащимися 4-го класса общеобразователь-
ной школы. Соответствует Федеральному государственному образовательному стан-
дарту начального общего образования. Позволяет совершенствовать навыки чтения и
анализа литературных произведений, даёт представление об истории русской детской
литературы. Тексты отобраны в соответствии с возрастом учащихся и расположены
в хронологической последовательности. Учебник формирует первоначальное представление об истории литературы как процессе, систематизирует представление детей о современной детской литературе, расширяет их знания о творчестве многих
любимых писателей.

Учебники по литературному чтению серии «Свободный ум» — составная часть
комплекта учебников развивающей Образовательной системы «Школа 2100».

УДК 373.167.1:821.161.1+821.161.1(075.3)
ББК 84(2Рос-Рус)я71

Серия «Свободный ум»
Бунеев Рустэм Николаевич, **Бунеева** Екатерина Валерьевна

ЛИТЕРАТУРНОЕ ЧТЕНИЕ
4 класс

«В океане света»
Часть 1

Художественный редактор — *Е.Д. Ковалевская*

Подписано в печать 19.04.11. Формат 70х108/16. Гарнитура Журнальная.
Печать офсетная. Бумага офсетная. Объём 14 п.л. Тираж 50 000 экз. Заказ № 28513 (К–См).

Общероссийский классификатор продукции ОК-005-93, том 2; 953005 — литература учебная

Издательство «Баласс». 109147 Москва, Марксистская ул., д. 5, стр. 1
Почтовый адрес: 111123 Москва, а/я 2, «Баласс»
Телефоны для справок: (495) 672-23-34, 672-23-12
http://www.school2100.ru   E-mail:balass.izd@mtu-net.ru

ООО «Школьный дом». 127254 Москва, Огородный пр., д. 5, стр. 1
Тел./факс: (495) 632-00-54
http://www.school-house.ru   E-mail:info@school-house.ru

Отпечатано в ОАО «Смоленский полиграфический комбинат»
214020 Смоленск, ул. Смольянинова, 1

ДОРОГИЕ ЧЕТВЕРОКЛАССНИКИ!

У вас в руках новый учебник по литературному чтению. Из него вы узнаете, что такое детская литература, когда появились первые книги для детей и кто были их авторы, что читали мальчики и девочки триста, двести, сто лет тому назад... Вы узнаете, что у детской литературы своя история, которая насчитывает шесть веков, и в этой истории много интереснейших страниц! Учебник поможет вам лучше узнать и понять современных детских писателей. Он будет для вас путеводителем по книжному миру. Вместе с нашими героями вы будете сами разговаривать с писателями или слушать их рассказы о своих книгах. Вы спросите, откуда мы знаем, что именно писатели говорили или думали. Об этом мы узнали из писем, дневников, воспоминаний, из предисловий, которые авторы писали к своим книгам.

Вы прошли путь от «Капелек солнца» до «Океана света». Почему же мы назвали наш учебник именно так? Вы полностью поймёте это, когда прочитаете его до конца. А пока мы бы объяснили так: на протяжении веков писатели вкладывали в детские книжки всё лучшее, что было в них самих: доброту, любовь, мудрость, нравственность, своё представление о красоте мира. Поэтому детская литература — это целый океан света и добра. Этот свет будет с вами всегда: сейчас детские книги близки и интересны вам, потом они будут необходимы вашим детям, внукам, хотя до этого ещё очень далеко...

Итак, счастливого вам плавания в океане света!

Рустэм Николаевич
и Екатерина Валерьевна Бунеевы

Ничто же светлейше солнечного сияния,
Ничто же сладчайше книжного писания.
Солнечный бо свет вселенну осиявает,
Книжное же писание душу просвещает.

Савватий

ПРОЛОГ

Мы начинаем наш... Да, ребята, чуть не забыли: вы знаете, что такое пролог? Толковый словарь говорит, что это «вступительная часть литературного или музыкального произведения». А вот специальные, литературоведческие словари объясняют подробнее: иногда в прологе содержится рассказ о событиях, которые происходили до основного действия. Узнав об этих событиях, мы лучше понимаем произведение. В других книгах из пролога можно узнать, почему потом произошли те или иные события. А некоторые писатели помещают в пролог кусочек из середины книги, чтобы заинтересовать читателя.

Итак, наш пролог.

— Держитесь крепче, сударыня! — услышала Оля голос Николая Александровича.

Девочка схватилась за ручки кресла и зажмурила глаза. Она хотела позвать Игоря, но не смогла. Через несколько секунд раздался звон, потом скрежет; потом сильный порыв ветра ворвался в комнату. Вдруг девочка почувствовала, что её тело стало очень лёгким и она уже не сидит в кресле, а плывёт. Оля открыла глаза и увидела брата. Игорь тоже плыл, раскинув руки. Что это? Море? Непохоже. Ну конечно же, это воздух, воздушный океан! Внизу проплывали поля, потом начался город. Вдруг Игорь крикнул:

— Смотри, это же наша улица!

Да, это была их Остоженка, но что-то в ней изменилось. Дома были те же, но исчез асфальт. По улице медленно катился старинный экипаж...

Что же происходит? Неужели всё, что говорил Николай Александрович, правда?..

Раздел 1
Любимые книги

Генрих Сапгир (1928–1999)
СЕГОДНЯ, ЗАВТРА И ВЧЕРА

Пробудился я сегодня —
На дворе сияет солнце.
Я подумал: «Как вчера.
Если завтра будет то же,
Если завтра будет солнце,
Замечательно! Ура!»
А вчера что я подумал?
Я подумал про сегодня:
«Если завтра будет солнце,
Замечательно! Ура!»
Значит, я вчера подумал,
Что сегодня — это завтра.
Но когда пройдёт сегодня,
Назовут его «вчера».
Значит, так: проснусь я завтра
И подумаю:
«Сегодня
На дворе сияет солнце —
И сегодня, как вчера».
А потом настанет завтра,
Будет новое сегодня.
Как чудесно жить на свете!
Замечательно! Ура!

Просто замечательно жить на свете, даже если у тебя болит горло и поднялась температура: можно не ходить в школу, лежать дома под тёплым одеялом и читать. Вот это жизнь!

Примерно так думали наши герои — Игорь и Оля. Это их любимым стихотворением Генриха Сапгира мы открыли первый раздел книги. Кстати, вы же ещё незнакомы! Ребята, разрешите вам представить наших героев. Оля и Игорь Сазоновы. Близнецы. Ученики четвёртого класса. Большие любители сладостей, приключений и интересных книжек. Люди вполне самостоятельные.

Сейчас наши близнецы болеют и, чтобы не скучать, придумывают разные игры. У Оли в руках «Маленькая дверь в большой мир» и «В одном счастливом детстве» — учебники по литературному чтению, прочитанные по многу-многу раз.

— А давай играть в писателей, — предлагает она брату.

— Как это?

— Давай будем по очереди называть писателей из наших учебников. Кто назовёт последним, тот выиграл.

— Давай, я всех помню! — обрадовался Игорь. — А потом так же поиграем в названия. Начинай!

— Генрих Сапгир!

— Сергей Голицын!

— Юнна Мориц!..

Ребята, поиграйте в эту игру на одном из первых уроков чтения. Пусть это будет интересный урок повторения. А это задания к нему:

1. Назовите писателей и поэтов, с которыми вы познакомились на уроках чтения.

2. Назовите имена детских писателей и «взрослых» — их стихи и рассказы вы читали во 2-м и в 3-м классах. Вспомните названия их произведений.

3. Какие рассказы вы читали во 2-м и в 3-м классах? А какие повести? Чем отличается повесть от рассказа? Сказка от повести и рассказа?

4. Кто герои этих произведений? О ком из героев вам бы хотелось рассказать? Почему?

5. По каким признакам вы можете определить, как писатели относятся к своим героям?

6. Как, с помощью каких приёмов писатели помогают нам понять характеры героев?

7. Какие особенности есть у пьес, то есть драматических произведений?

8. Чем отличаются стихи от произведений в прозе (рассказов, повестей, сказок)?

9. Прочитайте наизусть свои любимые стихи.

Оля и Игорь живут в Москве на улице Осто́женка в старом доме, построенном ещё в начале XX века. В огромной квартире много комнат, часть из них сейчас пустует: соседи получили новые квартиры и разъехались; в двух живут наши герои с мамой и папой, а в одной, самой большой, — сосед, но о нём немного позже.

Остоженка — старинная улица в центре Москвы, недалеко от Кремля. Из окон квартиры видны крыши соседних домов и небо. Оля любит смотреть на крыши. Ей кажется, что по крышам можно обойти всю Москву, так близко они подходят друг к другу. Но сейчас смотреть в окно нельзя: мама не разрешает.

Игорь и Оля наигрались в «писателей», и в «названия», и в «продолжи стихотворение» и решили почитать друг другу вслух. Игорь, конечно же, сразу открыл своего любимого «Электроника». Хотите почитать вместе с ребятами? Вам наверняка понравится эта увлекательная фантастическая повесть.

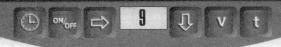

Евгений Велти́стов (1934–1989)

из книги

«ПРИКЛЮЧЕНИЯ ЭЛЕКТРОНИКА»
(главы)

Глава 1
ЧЕМОДАН
С ЧЕТЫРЬМЯ РУЧКАМИ

> **СПРАВКА**
>
> Дана Электронику, машине 5-го поколения, в том, что он(а) в настоящее время полностью заменяет ученика 7-го класса «Б» Сергея Сыроежкина и обладает всеми правами человека (homo sapiens).
>
> Справка выдана для любопытных.
>
> (С. Сыроежкин)

1

Ранним майским утром к гостинице «Дубки» подкатил светло-серый автомобиль. Распахнулась дверца, из машины выскочил человек с трубкой в зубах. Увидев приветливые лица, букеты цветов, он смущённо улыбнулся. Это был профессор

Громов. Почётный гость конгресса кибернетиков приехал из Синегорска, сибирского научного городка, и, как всегда, решил остановиться в «Дубках».

Директор «Дубков», организовавший торжественную встречу, занялся вещами. Из распахнутой пасти багажника торчал закруглённый угол большого чемодана.

— Э-э, даже такой силач, как вы, не поднимет его, — сказал профессор, заметив, что директор заглядывает в багажник. — Это очень тяжёлый чемодан.

— Пустяки, — отозвался директор. Он обхватил чемодан мускулистыми руками и поставил на землю. Лицо его покраснело. Чемодан был длинный, чёрного цвета, с четырьмя ручками. По форме он напоминал футляр контрабаса. Однако надписи точно определяли содержимое: «Осторожно! Приборы!».

— Ну и ну… — покачал головой директор. — Как же вы справлялись, профессор?

— Приглашал четырёх носильщиков. А сам руководил, — сказал Громов.

— Мы оставили вам тот же номер. Вы не возражаете?

— Прекрасно. Весьма благодарен.

Директор с тремя помощниками взялись за ручки и отнесли чемодан на второй этаж.

…Профессор распахнул окно. В комнату с шорохом листвы влетел утренний ветерок и запутался в прозрачных шторах. Под окном росли крепкие дубки, солнечные лучи пробивались сквозь их лохматые шапки и ложились светлыми пятнами на землю. Вдалеке шуршали шины, над деревьями прострекотал маленький вертолёт — воздушное такси.

Громов улыбнулся: он никак не мог привыкнуть к этим вертолётам и ездил в обычных такси. Он видел, что город раздался и похорошел. От вокзала ехали мимо километровых цветников, в бесконечном коридоре зелёных деревьев, застывших, как в почётном карауле. Куда ни посмотришь — везде что-то новое: берёзовая рощица, хоровод стройных сосен, яблони и вишни в белых накидках, цветущая сирень… Сады висели и над головой, на крышах зданий, защищённые от непогоды прозрачными раздвижными куполами. В промежутках между окнами, которые перепоясывали здания блестящими лентами, тоже была зелень: вьющиеся растения цеплялись за камни и бетон.

— Дубки подросли, — сказал профессор, смотря в окно.

Да, он много лет не был в этом городе.

Он нагнулся над чемоданом, отпер замки, откинул крышку. В чемодане, на мягком голубом нейлоне, лежал, вытянувшись во весь рост, мальчик с закрытыми глазами. Казалось, он крепко спит.

Несколько минут профессор смотрел на спящего. Нет, ни один человек не мог бы сразу догадаться, что перед ним кибернетический мальчик. Курносый нос, вихор на макушке, длинные ресницы… Синяя курточка, рубашка, летние брюки. Сотни, тысячи таких мальчишек бегают по улицам большого города.

— Вот мы и приехали, Электроник, — мягко произнёс профессор. — Как ты себя чувствуешь?

Ресницы дрогнули, блестящие глаза открылись. Мальчик приподнялся и сел.

— Я чувствую себя хорошо, — сказал он хриплым голосом. — Правда, немного трясло. Почему я должен был лежать в чемодане?

Профессор помог ему вылезти, стал поправлять костюм.

— Сюрприз. Ты должен знать, что такое сюрприз. Но об этом поговорим потом… А теперь одна необходимая процедура.

Он усадил Электроника на стул, достал из-под его куртки маленькую электрическую вилку на эластичном, растягивающемся проводе и вставил её в розетку.

— Ой! — дёрнулся Электроник.

— Ничего, ничего, потерпи, — успокаивающе сказал профессор. — Это необходимо. Ты будешь сегодня много двигаться. Надо подкрепиться электрическим током.

Оставив Электроника, профессор подошёл к видеотелефону, набрал на диске номер. Засветился голубой экран, Громов увидел знакомое лицо.

— Да, да, Александр Сергеевич, я уже здесь, — попыхивая трубкой, весело сказал Громов. — Самочувствие? Превосходное!

— Я не хочу, — раздался за его спиной скрипящий голос Электроника. — Я так не могу.

Профессор погрозил Электронику пальцем и продолжал:

— Приезжайте... Жду... Предупреждаю, вас ждёт сюрприз!

Старинная механическая кукла

Современный робот-гуманоид

Робот-щенок

Экран погас. Громов повернулся, чтобы спросить мальчика, почему он капризничает, но не успел. Электроник вдруг сорвался со стула, подбежал к подоконнику, вскочил на него и прыгнул со второго этажа.

В следующее мгновение профессор был у окна. Он увидел, как мелькает между деревьями синяя курточка.

— Электроник! — крикнул Громов.

Но мальчик уже исчез.

Покачивая головой, профессор достал из кармана очки и нагнулся к розетке.

— Двести двадцать вольт! — в его голосе прозвучала тревога. — Что я наделал! — он бросился к двери.

Сбегая по лестнице, профессор заметил удивлённое лицо директора и успокаивающе помахал ему рукой. Сейчас было не до объяснений.

У тротуара стояло такси. Громов резко распахнул дверцу, упал на сиденье. Переводя дыхание, скомандовал шофёру:

— Вперёд! Надо догнать мальчика в синей куртке!..

...Так начались необычайные события, которые вовлекли в свой круговорот немало людей.

2

...Серёжка выскочил на обрывистый берег реки, упал на траву и долго лежал неподвижно, с закрытыми глазами, слушая удары в груди, ловя ртом воздух. Отдышался, перевернулся на живот и заметил недалеко в кустах синюю куртку. Куртка как куртка, обыкновенная куртка. И всё же что-то в этой куртке беспокоило Сыроежкина. Что-то чёрное, маленькое, блестящее торчало из-под синей куртки. Серёжка посмотрел внимательнее и вытаращил глаза: это была небольшая электрическая вилка для включения в сеть.

Сергей никогда ещё не видел курток, из-под которых высовываются такие необыкновенные хвосты. Поэтому он тихонько подполз к кусту, осторожно взял вилку и потянул к себе. Куртка вздрогнула, зашевелилась. Из куста прямо на Серёжку вылез очень знакомый мальчишка.

Нет, совсем незнакомый! Это был кто-то чужой. Но этот «кто-то» был вылитый Сыроежкин. Сергей смотрел на него широко открытыми глазами, и ему казалось, что это он сам вылез сейчас из куста и дивится на забияку, дёрнувшего его за куртку. А мальчик в синей куртке, живой двойник Серёжки, тоже замер и смотрел в глаза Сыроежкину. На лице его ничего не отражалось — ни удивления, ни улыбки. Оно было совершенно спокойным.

— Это твой штепсель, то есть вилка? — наконец сказал, приходя в себя, Сергей.

— Да, — отозвался мальчик в синей куртке немного скрипучим голосом.

— А зачем она тебе? — опять спросил Сергей и услышал странный ответ:

— Я питаюсь электроэнергией.

— Ты... — Сергей помедлил. — Ты... робот?

— Нет, я Электроник, — так же спокойно произнёс мальчик.

— Но ведь ты не человек?

— Да, я не человек.

Они сидели на траве совсем рядом и молчали.

Серёжка незаметно рассматривал своего соседа. «Ну и пусть, что у него провод с вилкой, — думал Сергей. — Зато с ним можно говорить спокойно, по-человечески, не то что с Гусаком...»

И вдруг Серёжку осенило.

— Послушай, это ты бежал так быстро и обогнал всех? — волнуясь, спросил он.

— Я.

— Ты знаешь, мы с тобой очень похожи.

— Такое совпадение обусловлено математическими законами, — объяснил мальчик в синей куртке, и Серёжку сразу успокоила его рассудительность.

— И ты это заметил?

— Да, заметил.

— Ты знаешь, меня приняли за тебя. А настоящий чемпион — это ты!

— Может быть, я чемпион, — согласился собеседник Серёжки. — Но я совсем не хотел этого.

— Не хотел? Вот чудак!

— Ноги несли меня вперёд, — продолжал странный мальчик, — я не мог остановиться. Поэтому, скорее всего, я не чемпион.

Тут Серёжка вскочил, стал рассказывать, как спорили судьи, как его качали и несли на руках. Мальчик в синей куртке тоже встал и внимательно смотрел на Сыроежкина. Его лицо было по-прежнему спокойным и неподвижным. Нет, он не завидовал неожиданной славе Серёжки, совсем не завидовал.

— Я никогда не видел, чтоб кто-нибудь бежал так быстро! — восторгался Сыроежкин.— Если б судьи не ушли, я бы привёл тебя и сказал: вот кто установил мировой рекорд! Электроник! А я-то просто Сыроежкин...

— Сыроежкин? — скрипуче спросил Электроник.

— Ах, да!.. Мы ещё не познакомились, — Сергей протянул руку. — Зови меня Серёжкой.

— Серёжка Сыроежкин, — медленно повторил, словно запоминая, Электроник. Его правая рука осторожно взяла пальцы Сыроежкина и сжала их так сильно, что Серёжка вскрикнул.

— Извини, Серёжка, — Электроник посмотрел на свою ладонь. — У меня запрограммировано, что с такой силой надо жать руку друга.

Сергей, приплясывая, дул на пальцы. Он ничуть не обиделся, наоборот — обрадовался.

— Ничего! Это очень даже здорово! Ты не уменьшай силу. Она нам ещё пригодится... Расскажи о себе. Ты здесь живёшь?

— Нет, только сегодня приехал.

— Тогда я покажу тебе город! — обрадовался Сергей. — Сперва пойдём в парк, купим мороженое и съедим по четыре штуки.

— Я ничего не ем, — сказал Электроник.

— Совсем забыл! — Серёжка махнул рукой и от души пожалел приятеля: — Не повезло тебе. Мороженое куда вкуснее электрического тока!

Так, весело болтая, шли они к парку. И все встречные оглядывались им вслед: не на каждом шагу встречаются такие похожие близнецы.

 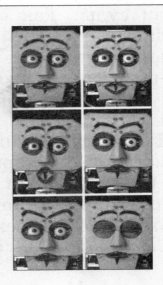

Движением бровей, глаз и рта этот робот может выражать многие человеческие эмоции

сыграли в лото и в «Путешествие по Марсу», смотрели картинки в старых журналах, разгадывали головоломки. Серёжка то и дело хохотал, хлопал друга по плечу. Электроник выигрывал во всём, а головоломки он распутывал, едва к ним притронувшись.

— Хочешь, я тебе всё подарю? — предложил Сыроежкин.

— Зачем? — спокойно возразил Электроник. — Я больше ничего не хочу глотать.

— Ну тогда это будет нашим. Твоё и моё. Да?.. Ой! — Сергей вскочил, взглянул на часы. — Двадцать минут до урока!

Он схватил учебник, лихорадочно забормотал:

— Квадрат гипотенузы прямоугольного треугольника равен сумме квадратов катетов. Квадрат гипотенузы… квадрат катетов…

— Это теорема Пифагора, — сказал Электроник. — Она очень простая.

— Простая-то простая, а у меня в журнале вопрос. И я не учил.

Электроник взял бумагу и карандаш и мгновенно нарисовал чертёж.

— Вот доказательство Евклида. Есть ещё доказательства методом разложения, сложения, вычитания…

Сыроежкин смотрел на друга, как на чародея.

— Здорово! — выдохнул он в восхищении. — Мне бы так… Но Сыроежкину пара обеспечена.

— Что такое пара? — заинтересовался Электроник.

— Ну пара… это двойка… или плохо.

— Плохо, — повторил Электроник. — Понятно. Я читал в одной книге: из любого положения есть выход. Это авторитетное и проверенное высказывание.

— Выход? — Сергей задумался. — Выход есть… — Он прямо взглянул в глаза Электронику и покраснел. — А ты не можешь пойти вместо меня?

— Я могу, — бесстрастно сказал Электроник. Глаза у Серёжки заблестели.

— Давай так, — он облизнул пересохшие вдруг губы. — Сегодня ты будешь Сергей Сыроежкин, а я — Электроник. Смотри! — Серёжка подвёл друга к зеркалу. — Вот ты и я. Слева — я, справа — ты. Теперь я перейду на другую сторону. Смотри внимательно. Ничего не изменилось! Опять справа — ты, а слева — я. Точно?

— Точно! — подтвердил Электроник. — Сегодня я — Сергей Сыроежкин.

— Чур-чура, это наша тайна, — предупредил Серёжка. — Понимаешь, тайна! Никому, хоть умри, ни слова. Поклянись самым святым!

— Чем? — спросил Электроник.

— Ну самым важным. Что для тебя самое важное?

Электроник подумал.

— Чтоб я не сломался, — промолвил он.

— Так и скажи: «Чтоб я сломался, если выдам эту тайну!»

Электроник хрипло повторил клятву.

— Слушай внимательно! — сказал Сергей. — Ты берёшь портфель и идёшь в школу. Вон она — во дворе. Ты идёшь в седьмой класс «Б» — на первом этаже первая комната налево. Как войдёшь, садишься за вторую парту. Там сижу я, а передо мной Макар Гусев, такой здоровый верзила. Он пристаёт и дразнится, но ты плюнь на него. Дальше всё идёт как по маслу. На первом уроке ты рисуешь, на втором отвечаешь теорему Пифагора, а третий урок — география. Ты знаешь что-нибудь из географии?

— Я знаю все океаны, моря, реки, горы, города...

— Отлично! Ты запомнил?

Электроник повторил задание. Он запомнил всё превосходно.

Серёжка моментально собрал портфель и выглянул на всякий случай на площадку: нет ли Макара Гусева? Сверху донёсся топот. Это бежал по лестнице Профессор — Вовка Король-ков.

— Привет! — крикнул он. — Ты ещё не читал «Программиста-оптимиста»? Там написано, что ты чемпион мира по бегу!

Сыроежкин пожал плечами:

— Подумаешь, чемпион! Вы ещё не то обо мне узнаете!

Он вернулся в квартиру и сказал Электронику:

— Помнишь эстраду в парке, где мы вчера спаслись от погони? Ты найдёшь её? После уроков приходи туда.

4
«СТУЛ НЕВЕСТЫ»

Фамилия математика была Тарата́р. Его любили. Таратар Таратарыч — так ребята прозвали своего учителя — никогда не спешил ставить двойку. Когда ученик мямлил и путался у доски, Таратар смотрел на него чуть насмешливо, поблескивая выпуклыми стёклами очков и шевеля густыми, как щётка, усами. Потом он вызывал желающих объяснить ошибку и говорил классу: «Если кто-то не знает данную тему, пусть поднимет руку и скажет, а не отнимает у всех времени. Мне совершенно безразлично, покупал этот ученик коньки, или был в гостях, или просто забыл выучить, — двойку я ему не поставлю. Но должок за ним останется, и я когда-нибудь напомню...» И Таратар не забывал спросить путаника второй раз.

Пока Гусев рисовал на доске чертёж теоремы Пифагора, Таратар, чуть сгорбившись, заложив руки за спину, ходил вдоль рядов и заглядывал в тетради.

— Ну-с, — сказал он Гусеву, — ты кончил? Макар кивнул.

— Все бы так начертили? — спросил Таратар у класса.

— Нет, — откликнулся Профессор.

— Пожалуйста, Корольков, подскажи.

— Надо ещё провести диагональ в прямоугольнике.

— Правильно. Теперь, Гусев, доказывай.

Макар с грехом пополам, при поддержке Профессора, доказал теорему. Тяжело вздохнув, он сел на место. Профессор помог ему стряхнуть с куртки крошки мела. Учитель опять обратился к классу:

— Это доказательство приведено в учебнике. Знает ли кто-нибудь другие?

Прежде чем Профессор успел поднять руку, Электроник встал:

— Я.

Таратар был чуть удивлён: Сыроежкин никогда не проявляет особой активности, а тут даже встал.

— Прошу, Сыроежкин, — сказал учитель.

— Я могу привести двадцать пять доказательств, — хрипло произнёс Электроник.

Гул удивления пролетел над партами.

Усы Таратара дёрнулись вверх.

— Ну-ка, ну-ка... — сказал он и подумал: «У мальчика ломается голос. Переломный возраст. И как самоуверен... Посмотрим, выдержит ли он эту роль до конца».

Мел в руке Электроника быстро забегал по доске, и вот уже готов треугольник, окружённый квадратами.

— Простейшее доказательство теоремы есть у древнегреческого математика Евклида, — говорит скрипуче Электроник и затем за считаные секунды обрушивает на слушателей сравнение геометрических фигур. — Учёные считают, — продолжает бойко Электроник, — что это доказательство теоремы Евклид придумал сам. Как известно, о Пифагоре Самосском мы почти ничего не знаем. Кроме того, что он жил в шестом веке до нашей эры, сформулировал свою теорему и был главой первой в мире математической школы. Евклид более двух тысяч лет тому назад собрал все известные ему аксиомы. Можно сказать, что он основал геометрию. Евклидова геометрия просуществовала без изменений до девятнадцатого века, пока русский учёный Лобачевский не построил новую систему.

— Правильно, — подтвердил Таратар. — Продолжай, Серёжа.

Класс удивлённо замер. Даже на последней парте, где сидят любители всевозможных развлечений, перестали играть в «морской бой».

А Электроник уже начертил три новые фигуры. Он рассказывает о том, как формулировали знаменитую теорему древние греки, индийцы, китайцы, арабы.

Таратар успел только вставить:

— В древности, ребята, теорему Пифагора знали лишь отдельные учёные, посвящённые в таинства математики, теперь её учат все.

Мел Электроника рисует и рисует. Громоздятся квадраты и треугольники, вырастают квадраты из треугольников, делятся квадраты на треугольники. Сыплются слова: «Метод сложения... Метод разложения... Метод вычитания...» Доска покрылась ровными многоугольниками, все видят чертёж паркета и удивлены тем, что это тоже доказательство теоремы Пифагора.

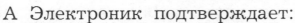
А Электроник подтверждает:

— Метод «укладка паркета». Так он называется.

Потом он снова строит квадраты на сторонах треугольника, делит их на равные части и обращается к слушателям с очень краткой речью:

— Здесь все рассуждения заключены в одно слово: смотрите! И вы всё увидите!

Ребята разглядывают доску.

Таратар кивает головой, улыбается.

— Наконец, «стул невесты», — хрипло провозглашает Электроник.

Класс не выдерживает, хохочет.

— Я сказал правильно, — обернувшись, говорит Электроник. — «Стул невесты». Эту фигуру придумал не я, а индийцы, причём в девятом веке.

«Стул невесты» уже изображён на доске. Это пятиугольник, поставленный на прямой угол, с выступом для сидения наверху. Не очень-то усидишь на таком шатком стуле!

Ребята опять смеются и смолкают. Сыроежкин читает стихи:

Пребудет вечно истина, как скоро
Её познает слабый человек!
И ныне теорема Пифагора
Верна, как и в его далёкий век.

Таратар подхватывает, и они читают дальше вдвоём:

Обильно было жертвоприношенье
Богам от Пифагора. Сто быков
Он отдал на закланье и сожженье
За света луч, пришедший с облаков.

Поэтому всегда с тех самых пор,
Чуть истина рождается на свет,
Быки ревут, её почуя, вслед.

Они не в силах свету помешать,
А могут лишь, закрыв глаза, дрожать
От страха, что вселил в них Пифагор.

— Это сонет Шами́ссо, — растроганно говорит Таратар. Он снимает очки, протирает стёкла платком.

Макар Гусев моргает Профессору: не часто увидишь, как спокойный и насмешливый Таратар Таратарыч приходит в такое умиление. Макар готов уже взять обратно все слова, которые он наговорил Сыроежкину час назад, на бегу. В знак примирения он машет ему рукой.

— Садись, Серёжа, — говорит Таратар. — Я с удовольствием ставлю тебе пять.

1. Вспомните сказочные повести, которые вы читали. Сравните, например, сказочного героя Карлсона и фантастического героя Электроника. Что у них общего и чем они отличаются?
2. Подумайте, чем отличается сказочная повесть от фантастической повести.

Ребята, вы, наверное, уже поняли, что у наших близнецов есть любимые книги. Игорь обожает фантастику и приключения, а Оля очень любит сказки и весёлые стихи.

На следующее утро Игорь и Оля чувствовали себя гораздо лучше (вот что значит читать любимые книжки!).

Дети потрогали друг у друга лбы, позавтракали, выпили лекарство и, когда мама с папой ушли на работу, решили посмотреть телевизор. Однако предусмотрительный папа что-то такое хитрое сделал: телевизор не включался. Огорчённые близнецы приуныли: впереди целый день лежания в постелях, за окном — мокрые от дождя крыши. Но не такие наши герои, чтобы долго скучать. Смотрите, Оля уже вытащила из книжного шкафа какие-то книжки.

— Ты что, это же стихи! — удивился Игорь.

— Ну и что?

— А то, что никакой нормальный ребёнок не станет сам читать стихи, если не задали!

— Это смотря какие, — весело возразила Оля.

Юнна Мориц (р. в 1937)
БАЛЛАДА О ФОКУСАХ ШОКОЛАДА

Пришёл на каток
Николай с шоколадкой
И съесть пожелал
Шоколадку украдкой.
Зажал Николай
Шоколадку в кулак
И сделал открытие:
«Я — не дурак!»

Свою шоколадку
Держа в кулаке,
Он всех обгонял
В этот день на катке!
Он слышал, как сзади
Летели друзья, —
Мечтал оглянуться,
Но было нельзя!

Нельзя с шоколадкой
Ему расставаться!
И мчался вперёд,
Не желая сдаваться!

Дышал Николай,
Словно тигр уссурийский,
Держал Николай
Марафон олимпийский!

Каток под серебряной пылью
Дрожал,
А он шоколадку с ванилью
Зажал!
Не мог Николай
Укусить шоколадку,
Он мчался
И ел её только вприглядку,
И мимо друзей,
Словно двигатель шумный,
Пуская пары,
Пролетал, как безумный!

Пылал Николай,
Словно русская печка,
Но он перегрелся —
И вышла осечка:
В руке шоколадка
Кипит, как в кастрюльке,
И льются в рукав
Шоколадные струйки,
И мимо друзей
Николай ненаглядный
Пыхтит,
Тарахтит,
Словно пупс шоколадный!
Ванильный,
Ореховый,
Сладкий
И липкий,
Он бешено мчится
С глупейшей улыбкой —
Легко ли
Такой шоколадке огромной
В тени оставаться
И выглядеть скромной?

Ревёт Николай
На катке ледяном —
Везут Николая
В большой гастроном!
Завязана розовой лентой
Коробка —
Не трюфельный торт,
Не конфеты «Коровка»!

Шофёр восхищён:
— Ах, какой Шоколай!
— Какой Шоколай? —
Возмущён Николай!
— Ты был Николаем, —
Шофёр говорит, —
А стал Шоколаем, —
Шофёр говорит.
— И мы, дорогой,
Любоваться желаем
Огромным таким
И живым Шоколаем!

Стоит Шоколай
На витрине нарядной,
И всем говорит
Его вид шоколадный:
«Прекрасно
Ходить на каток с
шоколадкой!
Опасно
Съедать шоколадку
украдкой!
Быть жадным — ужасно!
Не надо, не надо,
А то превратишься в кусок
Шоколада!»

1. В литературоведческом словаре о **балладе** написано, что это увлекательный рассказ в стихах часто легендарного, исторического или героического содержания. «Баллада о фокусах шоколада» действительно увлекательный рассказ в стихах. Но всё остальное? Как вы думаете, почему поэтесса назвала своё шутливое стихотворение балладой? Попробуйте найти в тексте «героические» слова и выражения. Почему нам смешно, когда мы их читаем?

2. Юнна Мориц в своём стихотворении добавляет в обычные события немного фантастики. Найдите и прочитайте эти строчки. Как вы думаете, зачем автор использует этот приём?

Подошло время обеда. После долгих споров о том, кому идти разогревать суп, на кухню отправилась Оля. Как всегда, она старалась побыстрее пройти мимо пустых комнат, из которых недавно уехали соседи. Там, за дверями, казалось, кто-то двигался и вздыхал. Возвращаясь обратно, девочка вдруг остановилась перед дверью соседа Николая Александровича. В его комнате обычно было тихо, но сегодня оттуда доносились какие-то странные звуки, свист, скрежет, гудение и пыхтение. Долго стоять у двери и прислушиваться было неудобно, поэтому Оля пошла к себе. Она хотела рассказать Игорю о звуках в комнате соседа, но брат читал что-то и не хотел отвлекаться. Наконец он согласился пообедать, потом Оля задремала и о странном своём открытии вспомнила только перед сном.
Утром она рассказала о нём Игорю.
— Пойдём послушаем! — предложил брат.
Дети на цыпочках подошли к двери, прислушались.
— Вот, опять! — прошептала Оля. — Пыхтит что-то или кто-то скребётся...
— Давай постучимся и узнаем, что там такое.
— Неудобно, что ты! И мама не позволяет надоедать. Помнишь, она говорила, что Николай Александрович — учёный и профессор и что он очень много работает.

— А давай постучимся и попросим его о чём-нибудь, ну, например... Придумал! Попросим у него что-нибудь почитать. Всё, я стучу!

Оля тихонько вздохнула, а Игорь решительно постучал в дверь.

— Чем могу служить, господа гимназисты?

— Здравствуйте, Николай Александрович, мы вообще-то не гимназисты, а в обычной школе... просто мы болеем, но уже выздоравливаем, а в библиотеку мама пока не разрешает... — смущённо заговорил Игорь. — Пожалуйста, дайте нам что-нибудь почитать, только не очень детское.

Профессор Николай Александрович улыбнулся и пригласил детей в комнату.

Здесь мы сделаем отступление и немного расскажем о человеке, с которым сейчас разговаривают наши герои. Профессор Николай Александрович Рождественский читает студентам университета лекции по истории русской литературы. Это седой высокий человек в очках. Он всегда выходит из своей комнаты в костюме, жилетке и галстуке, раскланивается с соседями и обращается ко всем в старинной манере: «сударь», «сударыня», «милостивый государь». В комнате профессора стоят массивные кресла, тяжёлые шкафы с книгами, на столе — подсвечник и несколько фарфоровых фигурок, необыкновенно изящных. Комнату перегораживает ширма.

— Скажите, Николай Александрович, — задумчиво начал Игорь, — а у детей всегда была своя литература? Что читали вы, когда были маленьким? А ваши дедушка и бабушка? А их родители?

— Вы задали очень интересный вопрос, — профессор встал с кресла и взволнованно прошёлся по комнате. — Очень, очень важный и интересный вопрос! Когда-то я сам, изучая литературу, спросил себя: а с чего же всё началось? Послушайте, сударь, и вы, сударыня, — обратился он к детям, — вы умеете хранить тайны?

Игорь и Оля переглянулись и дружно кивнули.

— А хотели бы вы знать, с чего началась детская литература? И не просто узнать, а увидеть своими глазами? Да? Я в этом и не сомневался. Мне нужны спутники, которые отправятся со мной в увлекательное и опасное путешествие. Если не возражаете, я пригласил бы вас. Прошу сюда!

Николай Александрович подошёл к таинственной ширме и отодвинул её. Дети замерли от удивления. За ширмой они увидели... Но об этом — в следующем разделе.

Ребята, мы просим вас ответить на вопросы, а потом вы отправитесь в путешествие к истокам детской литературы.

1. Что такое детская литература? Назовите своих любимых детских писателей. В какое время они жили? Можно ли отнести их произведения к современной детской литературе?

2. Что такое литература для детского чтения? Вспомните, произведения каких писателей вы читали во втором и в третьем классах. Что вам запомнилось?

3. Назовите основные темы детской литературы и произведения, написанные на эти темы.

4. Вспомните сюжетные стихи (то есть те, в которых последовательно происходят какие-то события) и стихи, в которых передаются чувства, настроение. Прочитайте наизусть стихи своих любимых поэтов.

5. Чем отличаются друг от друга повесть, рассказ и сказка? А фантастическая повесть и повесть-сказка?

6. Что такое пролог? Какова его роль в литературном произведении?

7. Напишите сочинение о современном детском писателе, который вам нравится, о его книгах.

Раздел 2
У истоков русской детской литературы

Итак, мы возвращаемся в комнату Николая Александровича в тот самый момент, когда дети увидели за таинственной ширмой какой-то странный предмет: три старинных кресла соединялись с компьютером непонятной конструкции. На его клавиатуре можно было прочесть: «X век», «XII век», «XIX век».

— Что это? Неужели машина времени? — не веря своим глазам, прошептал Игорь.

— Да, сударь, — подтвердил профессор.

— Но как же... Ведь не может быть... — это заговорила Оля. — И вы её сами?..

— Да, это давняя история. Когда-то в одной книге я нашёл описание этой конструкции и решил попробовать. Помните, я вам говорил, что хочу своими глазами увидеть, с чего же всё началось. Так что приглашаю вас в путешествие к истокам детской литературы. Согласны?

— Да! — в один голос ответили близнецы.

— А мама с папой?! — вдруг вспомнила Оля. — Ведь они нас не отпустят ни за что!

— Не беспокойтесь, сударыня, время остановится для нас, пока мы будем в прошлом, и вернёмся мы домой в ту же минуту, когда отправились в путешествие.

— Вот это здорово! — крикнул Игорь. Он уже давно перестал смущаться и теперь отчаянно теребил Николая Александровича за рукав: — А куда мы отправимся? Давайте прямо в десятый век или в двенадцатый! Давайте!

— Погодите, друг мой, — мягко успокаивал его Николай Александрович. — В X—XV веках на Руси ещё не было детской литературы. Литература вообще ещё только зарождалась вместе с приходом письменности.

— А что же читали дети?

— Первые рукописные сведения о том, что читали дети на Руси, относятся к X веку. Конечно же, религио́зные книги: Би́блию, Ве́тхий и Но́вый

Завет, Псалтырь, Жития святых. Использовали для детского чтения и отрывки из летописей.

— Николай Александрович, а что такое летопись? То, что написано летом? А если книгу писали зимой, тогда как она называлась?

— Не совсем так, — засмеялся Николай Александрович. — «Лето» означает «год». А летопись — это книга, в которой запись событий велась по годам.

Начальная русская летопись была создана в XI—XII веках. Она называлась «Повесть временных лет» («временных» означает «минувших») и рассказывала о происхождении русского государства, о первых его деятелях. Вот послушайте, как начинает летописец: «Се повести временных лет, откуду есть пошла русская земля, кто в Киеве нача первее княжить, и откуду русская земля стала есть». «Повесть временных лет» составляли несколько летописцев-монахов, которые были по тому времени весьма образованными людьми. Они извлекали исторические сведения из былин, песен, старинных преданий и создали целую энциклопедию жизни Киевской Руси девятого—одиннадцатого столетий. Много столетий спустя, в XIX веке, А.С. Пушкин в пьесе «Борис Годунов» создал образ монаха-летописца Пимена таким, как он его себе представлял. Вам будет интересно прочесть этот отрывок. А потом прочтите строчки о летописце из поэмы писательницы Н. Кончаловской «Наша древняя столица». Они написаны в 1966 году.

Александр Пушкин (1799–1837)
из трагедии
«БОРИС ГОДУНОВ»
(отрывок)

Ночь. Келья в Чу́довом монастыре. 1603 год

ПИМЕН (пишет перед лампадой)

Ещё одно, последнее сказанье —
И летопись окончена моя,
Исполнен долг, завещанный от Бога
Мне, грешному. Недаром многих лет
Свидетелем Господь меня поставил
И книжному искусству вразумил;
Когда-нибудь монах трудолюбивый
Найдёт мой труд усердный, безымянный,
Засветит он, как я, свою лампаду —
И, пыль веков от ха́ртий[1] отряхнув,
Правдивые сказанья перепишет, —
Да ведают потомки православных
Земли родной минувшую судьбу...

1825

---

[1] Ха́ртия — старинная рукопись.

Наталья Кончаловская

из книги

«НАША ДРЕВНЯЯ СТОЛИЦА»

***

В монастырской келье узкой,
В четырёх глухих стенах
О земле о древнерусской
Быль записывал монах.
Он писал зимой и летом,
Озарённый тусклым светом.
Он писал из года в год
Про великий наш народ.
О нашествии Батыя
Написал он в грозный час,
И слова его простые
Сквозь века дошли до нас.

1966

Нестор-летописец.
(Старинная гравюра)

из «ПОВЕСТИ ВРЕМЕННЫХ ЛЕТ»

(перевод Д.С. Лихачёва)

РАССЕЛЕНИЕ СЛАВЯН

Так начнём повесть сию.

Славяне сели по Дунаю, где теперь земля Венгерская и Болгарская. И от тех славян разошлись славяне по земле и стали называться по тем местам, где селились. Так, одни пришли и сели на реке по имени Морава и прозвались моравами, а другие назвались чехами. А вот ещё те же славяне: белые хорваты и сербы. Когда волохи напали на дунайских славян и поселились среди них и стали притеснять их, то славяне эти ушли на север и поселились на Висле. Они прозвались ляхами, а от тех ляхов пошли поляки.

Иные славяне пришли и сели по Днепру и назвались полянами, а другие — древлянами, потому что сели в лесах, а ещё другие сели между Припятью и Двиною и назвались дреговичами, иные сели по Двине и назвались полочанами, по речке, которая впадает в Двину и носит название Полота[1]. Те же славяне, которые сели около озера Ильменя, прозвались своим именем — словенами и построили город и назвали его Новгородом. И так разошёлся славянский народ, а по его имени и грамота назвалась «славянская».

1. Что такое летописи?
2. Что означает название «Повесть временных лет»?
3. Когда создавалась «Повесть временных лет» и о событиях какого времени она повествует?
4. Что вы знаете о летописцах?
5. Что вы узнали из летописи о расселении славян?

---

[1] Полота – приток Западной Двины, при её впадении в Двину стоит город Полоцк.

ИЗОБРЕТЕНИЕ СЛАВЯНСКОЙ АЗБУКИ

Был един народ славянский: и те славяне, которые сидели по Дунаю, покорённые уграми[1], и моравы, и чехи, и поляки, и поляне, которых теперь называют русь. Для них ведь, моравов, первоначально созданы буквы, названные славянской грамотой; эта же грамота и у русских и у дунайских болгар.

Когда моравы жили уже крещёными, князья их послали к царю греческому Михаилу, говоря:

— Земля наша крещёна, но нет у нас учителя, который бы наставил и поучал нас и толковал святые книги, ибо не знаем мы ни греческого языка, ни латинского. Одни учат нас так, а другие иначе, от этого не знаем ни начертания букв, ни их значения. Пошлите нам учителей, которые могли бы нам рассказать о книжных словах и о смысле их.

Услышав это, царь Михаил созвал всех философов и передал им всё, что сказали славянские князья. И сказали философы:

— В Солуни[2] есть два мужа — Кирилл и Мефодий, они искусные философы и знают славянский язык.

Услышав об этом, царь послал за Мефодием и Кириллом и, когда они явились, сказал им:

---

[1] Угры — венгры.
[2] Солунь — современные Солоники, город в Греции на берегу Эгейского моря.

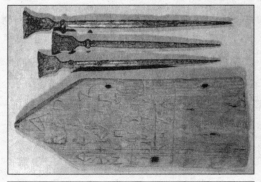

Инструменты для письма на бересте

Автограф древнерусского мальчика. XI век

— Прислала послов ко мне Славянская земля, прося себе учителя, который мог бы им истолковать священные книги.

И уговорил их царь и послал их в Славянскую землю. Когда же братья эти пришли, начали они составлять славянскую азбуку и перевели Апо́стол, Ева́нгелие и Псалты́рь и другие книги. И собрали хороших скорописцев и перевели все книги полностью с греческого языка на славянский в шесть месяцев, начав в марте, а закончив 26 октября.

1. Расскажите, почему славянам понадобилась своя азбука.
2. Что рассказывает летопись о Кирилле и Мефодии?

Болгарские просветители — Кирилл и Мефодий

ДЕЯТЕЛЬНОСТЬ ЯРОСЛАВА
Похвала книгам

В лето 1037 года заложил Ярослав город великий, у того же города Золотые ворота; заложил же и церковь Святой Софии, митрополию[1] и затем церковь на Золотых воротах — Святой Богородицы Благовещенья, затем монастырь Святого Георгия и Святой Ирины. И стала при нём вера христианская расширяться, и черноризцы[2] стали умножаться, и монастыри появляться.

Любил Ярослав книги, читая их часто и ночью и днём. И собрал писцов многих, и переводили они с греческого на славянский язык. И списали они книг множество, ими же поучаются верные люди и наслаждаются учением божественным. Будто кто-то землю вспахал, а другой засеял, а иные же теперь вот жнут и едят пищу неоскудевающую, — так и это: отец всего этого Владимир землю вспахал и размягчил, то есть крещением просветил, сын же его Ярослав засеял книжными словами сердца верных людей, а мы пожинаем, ученье принимаем книжное.

Велика ведь бывает польза от ученья книжного: книгами наставляемы и поучаемы на путь покаянья, ибо от слов книжных обретаем мудрость и воздержанье. Это ведь реки, напояющие Вселенную, это источники мудрости; в книгах ведь неизмеримая глубина; ими мы в печали утешаемся; они — узда воздержанья. Велика есть мудрость. Если прилежно поищешь в книгах мудрости, то найдёшь великую пользу душе своей.

Ярослав же, как мы уже сказали, любил книги и, много их написав, положил в церкви Свя-

---

[1] Собор Св. Софии в Киеве назван летописцем митрополией, так как при нём находился митрополит — глава русской церкви того времени.

[2] Черноризцы — монахи; они носили чёрную одежду (ризу).

той Софии, которую создал сам. Украсил её золотом, серебром и сосудами церковными. И другие церкви ставил по городам и по местам, поставляя попов и давая им от богатств своих урок, веля им учить людей.

1. За что прославляет летописец деятельность князя Владимира и его младшего сына Ярослава?
2. В чём видел Ярослав пользу книг?
3. Выучите наизусть несколько строк из летописи: «Это ведь реки, напоя́ющие Вселе́нную, это источники мудрости; в книгах ведь неизмери́ма глубина; ими мы в печали утешаемся...».

Софийский собор в Киеве. XI век

Ярослав Мудрый

Панорама древнего Киева

ПОУЧЕНИЕ
ВЛАДИМИРА МОНОМАХА ДЕТЯМ

Дети мои или иной кто, слушая эту гра́мотку, не посмейтесь над нею, но примите её в сердце своё и не ленитесь, но усердно трудитесь.

В дому своём не ленитесь, но за всем наблюдайте, не полагайтесь на тиу́на[1] или на о́трока[2], чтобы приходящие к вам не посмеялись ни над домом вашим, ни над обедом вашим. На войну выйдя, не ленитесь, не надейтесь на воево́д. Ни питью, ни еде не предавайтесь, ни спанью. Сторожей сами наряжайте и ночью, со всех сторон расставив охрану, ложитесь около воинов, а вставайте пораньше. Оружия не снимайте с себя второпях, не оглядевшись; ведь бывает, что из-за лености человек внезапно погибает. Лжи остерегайтесь и пьянства, от того душа погибает и тело. Куда бы вы ни держали путь по своим землям, не давайте о́трокам причинять вред ни сёлам, ни посевам, чтобы не стали люди проклинать вас. Везде, куда вы пойдёте и где остановитесь, напойте и накормите просящего. Всего же более убогих не забывайте и подавайте си-

---

[1] Тиу́н — управляющий хозяйством.
[2] О́трок — здесь: слуга.

Древнерусская школа

роте. Гордости не имейте в сердце и в уме. Старых чтите, как отца, а молодых, как братьев. Более же всего чтите гостя, откуда бы он к вам ни пришёл, простолюдин ли, или знатный, или посол; если не можете почтить его подарком, то угостите его пищей и питьём: ибо он, проходя, прославит вас по всем землям или добрым, или злым человеком.

Больного навестите, покойника проводите, ибо все мы смертны. Не пропустите человека, не приветив его, и доброе слово ему молвите.

Что умеете хорошего, того не забывайте, а чего не умеете, тому учитесь — как отец мой, дома сидя, знал пять языков, оттого и честь ему была от других стран. Леность ведь мать всему дурному: что кто умеет, то забудет, а чего не умеет, тому не научится. Добро же творя, не ленитесь ни на что хорошее. Пусть не застанет вас солнце в постели. Так поступал отец мой покойный и все добрые мужи.

1. Какие наставления давал Владимир Мономах, внук Ярослава Мудрого, своим детям?

2. Более восьмисот лет прошло с тех пор, как Мономах написал своё «Поучение». Есть ли в нём такие мысли, которые устарели?

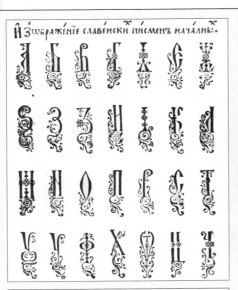

Древнерусский алфавит

Монета Владимира Мономаха

— Ну-с, судари мои, как продвигается чтение?

Дети с трудом оторвались от книги и увидели Николая Александровича, который вопросительно смотрел на них и, конечно же, улыбался.

— Хорошо! — вздохнули близнецы. — Трудновато немного. Доставалось же древним детям!

— Я рад, что вам понравилось. Будете читать дальше?

— Обязательно! — ответила Оля за двоих. — Но, Николай Александрович, это всё-таки литература для детского чтения. А когда же появились первые книги специально для детей? Это известно?

— Конечно. Первой рукописной книгой для детей был написанный в 1491 году учебник латинского языка «Донатус». Автор — русский дипломат и переводчик Дмитрий Герасимов. Известна дата его рождения — 1465 год. Он решил написать учебник для детей, чтобы облегчить им изучение этого трудного языка. «Донатус» — это вольный творческий перевод для русских детей известной тогда учебной книги древнеримского учёного Элия Доната. Необычайно талантливым человеком был Дмитрий Герасимов. Вы только подумайте: свою книгу он написал в возрасте 26 лет! От него же дошла до нас первая запись русской народной сказки. Её сделал со слов Дмитрия Герасимова итальянский учёный Павел Иовий Новокомский в начале XVI века. У меня есть книга «Русские сказки в ранних записях», там можно прочитать эту сказку.

Древняя рукописная книга

Дмитрий Герасимов (ок. 1465–1536)
О ПОСЕЛЯНИНЕ И МЕДВЕДИЦЕ
(сказка)

Посол московский Димитрий, отличающийся весёлым и остроумным характером, рассказывал при громком смехе всех присутствующих, что в недавнее время один поселянин, живший по соседству с ним, прыгнул сверху для отыскания мёда в очень большое дуплистое дерево, и глубокая медовая пучина засосала его по грудь; два дня он питался одним только мёдом, так как голос мольбы о помощи не мог в этих уединённых лесах достигнуть ушей путников. Напоследок же, когда он отчаялся в спасении, он по удивительной случайности был извлечён и выбрался оттуда благодеянием огромной медведицы, так как этот зверь случайно, подобно человеку, спустился туда поесть мёда. Именно поселянин схватился руками сзади за крестец медведицы, та перепугалась от этой неожиданности, а он заставил её выпрыгнуть как тем, что потянул её, так и тем, что громко закричал.

На следующий день рано утром брат и сестра пришли в комнату Николая Александровича, чтобы обсудить план предстоящего путешествия. Они уже знали, чего им хочется больше всего: познакомиться с самым первым детским писателем. В какой же век нужно отправиться?

Наверное, вам, ребята, тоже интересно это узнать! Давайте послушаем разговор наших героев.

— Николай Александрович, вчера вы нам рассказывали о первой рукописной книге для детей, — начала Оля. — А когда появились печатные? Какие они были? Кто их написал?

— Первой печатной детской книгой была Азбука. Её составил русский первопечатник Иван Фёдоров и издал в городе Львове в 1574 году, то есть во второй половине XVI века. «Возлюбленный, честный, христианский русский народ» — так обращается автор к взрослым читателям и сообщает, что книга эта создана «ради скорого младенческого научения». Хотите послушать, как Иван Фёдоров обращается к детям? Я помню маленький отрывок из его Азбуки, вот он: «Сын мой, приклони ухо твоё и послушай словес мудрых и приложи сердце к научению моему, понеже[1] украсит тебя... Как сот медов сладок есть гортани твоему, також наука мудрости душе твоей... Поищеши и обрящеши[2] и имети будеши».

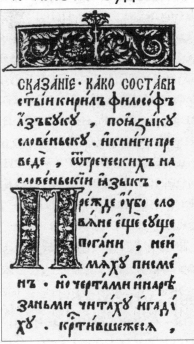

Страница из Азбуки Ивана Фёдорова

---

[1] Понеже — поскольку, так как.
[2] Обрящеши — найдёшь.

— Значит, первыми печатными детскими книгами были учебники, — уточнил Игорь. — Но кто же всё-таки был первым русским писателем или поэтом для детей?

— Если нам повезёт, мы познакомимся с ним. Для этого надо отправиться в XVII век и попасть в Чу́дов монастырь. Помните старца Пимена, монаха-летописца из драмы Пушкина «Борис Годунов»? Он заканчивает свою летопись в Чу́довом монастыре в 1603 году, то есть в начале XVII века. А человека, который интересует вас, можно было встретить в этом монастыре в середине XVII века.

Итак, вы готовы? Нам пора в путь. Полёт во времени не будет долгим, он покажется вам несколькими мгновениями. Садитесь в эти кресла, крепче держитесь. Глаза можете закрыть. Ну что ж, друзья мои, в путь!

ПУТЕШЕСТВИЕ ПЕРВОЕ

XVII век. Чу́дов монастырь. Спра́вщик Савва́тий

...Первое ощущение — как будто поднимаешься на скоростном лифте. Хотелось открыть глаза, но мешал ослепительный свет, он проникал даже сквозь крепко сжатые веки. Оле было и страшно, и весело. Игорь потом рассказывал: ему было так интересно, что испугаться он просто забыл.

Когда дети открыли глаза, они увидели, что стоят в углу монастырского двора. Из-за высокой каменной стены вставало солнце. Двор был пуст.

— Идёмте скорее! — позвал их Николай Александрович. — Боюсь, что в нашей одежде мы выглядим довольно странно.

— Где мы? — спросил Игорь, оглядываясь по сторонам. — Незнакомое место, а в то же время... Ой, смотрите, это же колокольня Ивана Великого вот там, за стеной! Так мы что, в Кремле? В Москве?

— Конечно, — улыбнулся Николай Александрович. — Чудов монастырь находился на территории Московского Кремля.

— Мамочки! Так отсюда же до нашего дома две остановки на троллейбусе, — прошептала Оля и вдруг запнулась: — Какой же троллейбус... XVII век...

— Сударыня, нашего дома пока нет, его ещё не построили, а на месте Остоженки — заливные луга... Однако идёмте, — и Николай Александрович решительно пошёл через монастырский двор.

— Куда мы идём? — спросила Оля.

— Туда, где хранятся книги, здесь есть специальная комната.

— А вы что же, бывали здесь раньше? — удивился Игорь.

— Нет, конечно. Но я изучал в старинных книгах рисунки и чертежи Чудова монастыря. Мы пришли, государи мои. Это здесь.

Скрипнула тяжёлая дверь, и наши путешественники оказались в просторной комнате. Повсюду были книги — печатные и рукописные. Они были большие, некоторые просто огромные и, наверное, очень тяжёлые.

— Как здесь красиво! Как аккуратно разложены и расставлены книги! А какие богатые переплёты, просто роскошные! — дети не скрывали своего

Чудов монастырь

восхищения. — Как долго, наверное, надо было переписывать только одну такую книгу!..

— Ещё рано, все монахи в церкви, здесь никого нет. Давайте-ка присядем, и я расскажу вам немного о древних книгах, — предложил профессор.

Вот его рассказ.

— В Древней Руси существовал особый культ книги. Это означает, что книги бережно хранили, относились к ним, как к святыне. Грамотного и начитанного человека уважали, говорили о нём так: «Он горазд говорить книгами».

Во время пожаров и других бедствий люди в первую очередь спасали книги, об этом есть записи в летописях. Книги передавались, как сокровища, от отцов — детям, от детей — внукам, их упоминали в завещаниях, дарили к свадьбе, к совершеннолетию. Книг в древности было мало, особенно до появления книгопечатания. Поэтому каждая книга очень ценилась... Но постойте, кажется, я слышу шаги!

Дети прислушались. Шаги звучали всё яснее, скрипнула дверь, и вошёл высокий человек в чёрной монашеской одежде. У него было худое лицо и умные ясные глаза. Николай Александрович шагнул ему навстречу.

— Простите, отец мой. Вы будете Терентий Васильев по прозвищу Тейша?

— Так меня звали давно, в миру. Ныне я иеромонах Чудова монастыря, имя моё Савватий. Но кто вы, что говорите на таком странном языке? Коли вы чужестранцы, то откуда прибыли к нам?

— Мы прибыли издалека, чтобы познакомиться с вами, — взволнованно продолжал профессор. — Это правда, что вы пишете стихи для детей?

— Да, это правда, слагаю.

— Мы очень хотим их прочитать! — сказала Оля и смущённо улыбнулась.

— Весьма похвально, что в вашем возрасте вы умеете читать. Вот, сие детская азбука, и в ней писания мои.

Савватий взял одну из книг, открыл её и прочёл:

Сия[1] зримая[2] мала книжица,
По реченому[3] алфавитица[4],
Напечатана бысть по царскому велению,
Вам, младым детям, к научению.
Ты же, благоразумный отроче[5], сему внимай[6]
И от нижния степени на вышнюю выступай...

— Спасибо, большое спасибо! А... можно вам задать один вопрос, пожалуйста! — попросил Игорь.

— Говори, отроче.

— Почему вы пишете именно для детей?

— Я знаю книги и знаю, что в них мудрость, — медленно начал Савватий. — И хочу отрокам сказать: учиться старательно следует, ибо грамота великое в жизни значение имеет. Лучшее для учения время — детство, ибо «учение во младости крепче вкореняется», — так говорю им. И вы помните:

...во младых ноктех учению прилежи.
И всякое детское мудрование от себя отложи.

Однако пора мне. Благодарю вас за беседу и желаю здравствовать, — и Савватий с поклоном удалился.

— Нам тоже пора, — тихо сказал Николай Александрович ошеломлённым детям. — Через несколько секунд машина автоматически вернёт нас... Он не успел договорить, потому что начался второй полёт во времени. На этот раз вперёд, в настоящее.

...Оказавшись дома, в квартире на Остоженке, дети долго не могли прийти в себя и поверить, что встреча с Савватием им не приснилась. Игорь

---

[1] Сия — эта.
[2] Зримая — видимая.
[3] По реченому — то есть другими словами.
[4] Алфавитица — азбука.
[5] Отроче — юноша.
[6] Внимай — вникай, глубоко проникай в смысл.

первый обрёл дар речи и очень тихо спросил Николая Александровича:

— Монах Савватий действительно сочинил самые первые стихи для детей?

— Да, сударь мой, — так же тихо ответил профессор. Он был потрясён не меньше. — Так считают исследователи детской литературы. Известно одиннадцать стихотворений Савватия. Возможно, их было больше, но до нас дошло одиннадцать.

— Как жалко, что мы почти ни о чём не успели его спросить! — вздохнула Оля. — Вот он назвал себя «иеромонах», а что это такое?

— Я расскажу вам, — отозвался Николай Александрович. — Вы готовы слушать?

— Конечно!

— Итак, Савватий... Он служил в придворной церкви в Кремле, был монахом, а затем иеромонахом Чудова монастыря. Иеромонах означает старший монах, человек высоких душевных качеств. В 1634 году Савватий был принят на печатный двор справщиком, где служил до 1652 года. Должность эта была очень почётной и ответственной. Справщик выбирал книгу для издания, редактировал, исправлял ошибки, сделанные наборщиком. Потом он представлял книгу патриарху, сам читал ему вслух. Если книга нравилась главе русской церкви, она выходила в свет. Он готовил к изданию, например, книгу басен древнегреческого

Иван IV

Печатный станок

баснописца Эзо́па. Савва́тий был спра́вщиком — значит, очень образованным и уважаемым человеком.

Однако вернёмся к детским стихам Савватия. Вам интересно будет, наверное, их прочитать. Вот в этой книге вы найдёте несколько стихотворений. А сейчас идите-ка к себе, отдохните, а потом приметесь за чтение.

Савва́тий (Терентий Васильев)
ИЗ РУКОПИСНОЙ КНИГИ
«АЗБУКОВНОЕ УЧЕНИЕ»
СТИХОТВОРНОЕ ВСТУПЛЕНИЕ

Ничто́ же светле́йше со́лнечного сия́ния,
Ничто́ же сладча́йше кни́жного писа́ния.
Солнечный бо свет вселе́нну осия́вает,
Книжное же писа́ние душу просвеща́ет.
Солнце у́бо[1] согрева́ет плоды земные,
Книжное же писание наводит на мысли благи́е.

ПРЕЩЕ́НИЕ[2] ВКРА́ТЦЕ О ЛЕ́НОСТИ И НЕРАДЕ́НИИ[3]
ВСЯКОМУ БЫВА́ЕМОМУ ВО УЧЕ́НИИ
(отрывок)

...неуче́ному[4] — горе, а́ки[5] сосуд скуде́льный[6]

пуст,

Поне́же[7] ничто не может добра́ изнести́

от своих уст.

---

[1] У́бо — так же, как...
[2] Преще́ние — запрещение, запрет.
[3] Нераде́ние — отсутствие старания.
[4] Под ударением после мягких согласных перед твёрдыми, начиная с XII века, в русском языке осуществлялся переход звука [э] в [о] (сестра — сёстры). Однако этого перехода не было в старославянском языке и в его русифицированной форме — церковно-славянском языке (на нём велось богослужение, писались книги). Поэтому читать нужно: по ре[ч'э́]ному, неу[ч'э́]ному, о сво[jэ́]м и т.д.
[5] А́ки — как.
[6] Скуде́льный — старый, ветхий.
[7] Поне́же — потому что, так как.

И всегда ходит во своём неразумии,
И не размышляет о своём безумии,
Токмо[1] обычай ему мудрых укоряти,

И сердце их раздражати,
И своё безумие утешати,
И чтоб никому ничто не знати.

1. Как вы понимаете выражение «особый культ книги в Древней Руси»?
2. Сделайте устный и письменный перевод отрывков из стихотворений Савватия на современный русский язык.

Игорь и Оля после путешествия в XVII век увлеклись историей детской литературы. Николай Александрович рассказал им ещё о двух поэтах XVII века, которые писали для детей. Их имена — Симеон Полоцкий и Карион Истомин.

Ребята, вам, наверное, тоже интересно услышать рассказ Николая Александровича? Вот он.

— Это были необыкновенно талантливые люди с интересной судьбой. Симеон Полоцкий, человек образованный, трудолюбивый, способный, был приглашён царём Алексеем Михайловичем и назначен учителем наследников — царевичей Алексея и Фёдора. Под его руководством воспитывались царевна Софья и будущий царь Пётр I.

Карион Истомин учился в Типографской школе, служил на Московском печатном дворе сначала писцом, чтецом, справщиком, а затем сам встал во главе печатного двора. При жизни Карион Истомин издал три книги: «Лицевой букварь», «Букварь языка словенска» и «Повесть об Иване Воине», написал много детских стихотворений.

---

[1] Токмо — только.

Симеон Полоцкий (1629—1680)

ИЗ КНИГИ
«РИФМОЛОГИОН»
Приветствия от детей

МАЛЕНЬКИЙ ВНУК — СВОЕМУ ДЕДУ:

Желаю тебе многолетно жити,
А ты изволь[1] мя[2] внука си любити.

СЫН — ОТЦУ:

Отче мой честный, мне любимый зело[3],
Живи век долгий здраво, весело.
А мене изволь в любви си хранити,
Иже тя имам сынолюбно чтити.

---

[1] Изволь — здесь: будь добр.
[2] Мя — меня.
[3] Зело — очень.

ИЗ КНИГИ
«ВЕРТОГРАД[1] МНОГОЦВЕТНЫЙ»

СТИХИИ ЧЕТЫРЕ
(отрывок о Земле)

Земли три части мокнут под водами,
Четверта токмо суха под ногами
Всех есть ходящих, и разум имущих,
                    и зверей сущих.

ДУГА

Дуга в облаци родится,
Егда на нее сияние солнца изводится[2].
Во дузе три суть цвета: багряный, зеленый,
Третий им примесися видом сый — червленый[3].

ЧТЕНИЕ

Ходяй[4] при водах, всяко омочится,
Приседяй огню, тепла исполнится.
Тако читаяй книги божественны
Аки по нужде[5] будет умудренны.

Карион Истомин (1650—1717)
из «КНИГИ ВРАЗУМЛЕНИЯ
СТИХОТВОРНЫМИ СЛОВЕСЫ»

Прелюбезная моя мати,
Что имам аз ти воздати.
За благи твои уветы[6]
Кия нести тебе цветы.
Отнюдь недоумеваю,
Чем почтити тя — не знаю.

1683

---

[1] Вертоград — сад.
[2] Изводится — падает.
[3] Червленый — цвета раскалённого металла.
[4] Ходяй — ходящий; тот, который ходит.
[5] Здесь: неизбежно.
[6] Уветы — здесь: советы, мудрое воспитание.

из «МАЛОГО БУКВАРЯ»
(под буквой «К»)[1]

Киты суть в морях, кипарис на суше.
Юный, отверзай в разум твоя уши.
В колесницу сядь, копием борися,
Конем поезжай, ключем отоприся.

1. Что могли узнать маленькие читатели об отношении детей к взрослым, о Земле, о радуге?
2. Какие мысли о значении книг, о чтении высказывает Симеон Полоцкий?
3. Подумайте, чем отличаются стихи поэтов XVII века от стихов современных поэтов.
4. Переведите устно и письменно стихотворные строчки С. Полоцкого и К. Истомина на современный русский язык. Рифмовать не надо, но постарайтесь как можно точнее передать смысл.

---

[1] В букваре при букве «К» были нарисованы кит, кипарис, колесница, копьё, конь, ключ.

ПУТЕШЕСТВИЕ ВТОРОЕ

XVIII век. Сон незнакомого мальчика. Усадьба Аксаковых. Серёжины книги

Прошло больше недели после необыкновенного путешествия в XVII век. Наши близнецы уже давно поправились и ходят в школу. Николая Александровича они видят редко: он очень занят в университете.

Как-то вечером Игорь и Оля остались одни (папа с мамой ушли в театр) и сидели в своей комнате. Вдруг в дверь постучали, и знакомый голос вежливо спросил: «Можно?» Дети бросились к двери. Наконец-то! Николай Александрович сам пришёл к ним!

— Как поживаете, сударь? Надеюсь, вы в добром здравии? А вы, сударыня? — обратился к детям профессор.

— Мы поживаем хорошо, даже очень! Мы уже всё-всё прочитали, и когда же...

— ...снова отправимся в путешествие? Это вы хотели спросить? Отвечаю: сегодня. Более того, если вы не возражаете, сейчас! Прошу вас ко мне. Сегодня, милостивые государи мои, мы отправимся в XVIII век, ко двору императрицы Екатерины II.

— Почему ко двору? Ведь мы же интересуемся детской литературой... — удивился Игорь.

— О, вот это-то самое интересное! Мало кто знает, что русская императрица Екатерина II написала восемь книг для детей. Они были напечатаны в 1781—1783 годах.

— А что это были за книги? — начала расспрашивать Оля. — Стихи? Сказки?

— Книги самые разные. Есть и сказки, и азбука, и рассказы. Да вы эти книги сможете увидеть сами. Ну что же, вы готовы? Тогда в путь!

Императрица Екатерина II

Все уселись в кресла. Оля поскорее зажмурила глаза: хотя это будет уже второй полёт во времени, а всё-таки страшно.

Сначала ощущения от полёта были те же, но через несколько секунд дети почувствовали: что-то не так. Возникло состояние необъяснимой тревоги, потом последовал довольно ощутимый удар обо что-то твёрдое...

Когда наши путешественники открыли глаза, в первые мгновения они ничего не могли рассмотреть. Казалось, стояла глубокая ночь. Дул сильный ветер, он доносил запах реки, горьких степных трав. Внезапно тьма рассеялась, на небе показалось солнце, и наши герои увидели степь и вдали — древнерусских воинов, вооружённых, верхом на конях. Во главе войска скакал мальчик лет десяти, одетый в аккуратный костюмчик с кружевами.

— Что это? Что случилось? Где мы? — встревоженные дети умоляюще смотрели на профессора.

— Не могу понять. Что-то с машиной. Надеюсь, что ничего серьёзного. Сейчас я постараюсь определить, где мы. Так. Степь... Древнерусские воины. Солнечное затмение, предвещавшее несчастье, гибель. Кажется, я догадываюсь. Но мальчик? Откуда он? И почему одет в костюм XVIII века? Так-так... Мне всё ясно! — волнение профессора сменилось удовольствием: — Вы даже представить себе не можете, куда мы попали!

— Куда?! — дети сгорали от нетерпения.

— Мы попали в сон. Не удивляйтесь, друзья мои. В сон десятилетнего мальчика. Он живёт в XVIII веке. Скорее всего вчера он прочитал «Слово о полку Игореве», и вот ему снится, что он вместе с князем Игорем — во главе русской дружины, готовой сразиться с половцами.

— А что такое «Слово о полку Игореве»? — спросила Оля, вглядываясь внимательно в лицо мальчика.

— Это знаменитое произведение древнерусской литературы XII века, название переводится с древнерусского языка так: «Слово о походе Игоря».

Этот литературный памятник в XVIII веке часто использовали для детского чтения. Очень красивое, поэтичное и мудрое произведение. Автор его неизвестен.

— Но почему вы решили, что это сон мальчика? А вдруг всё снится нам самим? — засомневался Игорь.

— А мы сейчас проверим. Смотрите!

В это мгновение войско оказалось совсем рядом. Оля, громко вскрикнув, закрыла лицо руками: над своей головой она увидела лошадиные копыта... Но всадники прошли мимо, вернее, даже не мимо, а как бы сквозь них, никого не задев, совершенно беззвучно. Значит, они действительно попали в чужой сон.

Дети с трудом оправились от испуга.

— Как же мы вернёмся домой?

— Не беспокойтесь, судари мои. Сейчас сработает аварийное реле времени — и всё будет в порядке.

Так и произошло. Скоро все трое уже сидели в своих креслах в комнате Николая Александровича.

— Как жалко, что нам не повезло и мы не попали во дворец Екатерины II, — вздохнул Игорь.

— А мне кажется, что нам очень повезло, друзья мои. Я даже представить себе не мог, что с помощью нашей машины мы попадём не только в реальный мир прошлого, но и в сны людей.

...Прошло несколько дней. Дети ходили в школу, делали уроки, гуляли, читали. Всё как всегда. Но теперь у них была тайна. Она делала жизнь удивительной.

Как-то раз по дороге из школы Оля призналась Игорю, что у неё не выходит из головы тот мальчик из XVIII века, в чей сон они попали, и что ей очень-очень, ну просто ужасно хочется познакомиться с этим мальчиком или с другим, но чтобы он жил тогда, в XVIII веке, и обо всём его расспросить.

На этот раз с машиной всё было в порядке, и она благополучно доставила наших путешественников

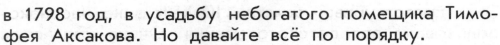
в 1798 год, в усадьбу небогатого помещика Тимофея Аксакова. Но давайте всё по порядку.

Николай Александрович, Игорь и Оля сначала долго шли по разросшемуся саду. Стоял летний вечер, тихий и тёплый.

— Где же усадьба? В какую сторону нам идти? — то и дело спрашивали дети. Наконец впереди, совсем близко, появилось несколько огоньков: это в доме зажгли свечи. А вот и сам дом — одноэтажный, с белыми колоннами.

— А как же мы найдём комнату Серёжи? — забеспокоилась Оля.

— Не волнуйтесь, сударыня. Описание я помню очень точно: «...в доме была огромная зала, из которой две двери вели в две небольшие горницы, довольно тёмные, потому что одна из них выходила в длинные сени, служившие коридором; в одной из них помещался буфет, другая была заперта...» — ну и так далее. А теперь следуйте за мной, друзья мои. Думаю, что нам удастся познакомиться с Серёжей Аксаковым.

...Серёжа собирался уже закрыть книжку и задуть свечу, как вдруг дверь тихо отворилась и в комнату вошли двое незнакомых детей и пожилой господин. Мальчик испугался, но виду не подал и учтиво, как его учила маменька, поклонился и произнёс:

Имение Аксаковых

— Здравствуйте, господа. Кажется, мы незнакомы? Вы из соседней усадьбы?

— Да... но... — замялся Игорь.

— Ах, простите, я не представился. Сергей Тимофеевич Аксаков. Мне семь лет.

Оля хихикнула, а вот Николай Александрович был абсолютно серьёзен.

— Рождественский Николай Александрович, профессор университета, — проговорил он.

— Игорь Сазонов. Моя сестра Ольга, — произнёс Игорь, тоже стараясь казаться серьёзным, хотя его так и подмывало спросить, почему этот малыш так странно разговаривает.

— Ах, господа, как я рад! — весело заговорил Серёжа. — Маменька не позволяет мне играть с детьми из деревни. Правда, у меня есть младшая сестрёнка, мы очень дружим... А хотите я вам покажу свои книги? У меня их несколько, и каждую я прочёл много раз.

Близнецов не нужно было долго просить. Вот удача! Этот мальчик любит читать. У него есть детские книги, и он разрешает подержать их в руках!

— Скажите, сударь, — голос Николая Александровича зазвучал взволнованно, — вот эти несколько книжек, похожих на журналы, это что же... неужели издание Николая Ивановича Новикова?

— Вы знаете? О да, это мои любимые журналы — «Детское чтение для сердца и разума». Здесь столько интересного и поучительного, и смешное есть! Знаете, когда мне их подарили, я читал весь день и даже не хотел идти обедать.

— А ещё что вы читаете? Расскажите нам, пожалуйста! А каких писателей вы любите? — близнецы задавали столько вопросов, что Серёжа едва успевал отвечать. Он с увлечением перечислял:

— Господин Новиков, господин Карамзин, господа Болотов и Шишков. Детские песни господина Шишкова — вот прелесть! А ещё у меня есть «История о Младшем Кире и о возвратном походе десяти тысяч греков», переводное сочинение...

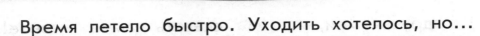

Время летело быстро. Уходить хотелось, но...

— Нам пора, господин Аксаков. Благодарим вас, было так приятно беседовать с вами. Однако время позднее... — гости уже стояли у дверей.

— Николай Александрович, — зашептал вдруг Игорь, — я вам не говорил, мы с Ольгой взяли из дома в подарок Серёже... вот, можно?

Игорь достал из-под свитера спрятанную книжку. На обложке Николай Александрович прочитал: «Литературное чтение». Учебник «В одном счастливом детстве».

— Что вы, сударь мой! — в ужасе зашептал он. — Немедленно спрячьте! Вы рискуете изменить весь ход развития детской литературы. Многие из этих писателей не только не написали свои книги, но даже ещё не родились!

...Дома, на Остоженке, наши путешественники, перебивая друг друга, делились впечатлениями.

— Николай Александрович, как же так? — вдруг спросил Игорь. — Серёже 7, нам по 9, а получается, что он читал больше и знает столько писателей, а мы...

— Серёже было проще, — успокоил Николай Александрович. — Он назвал вам почти всех детских писателей, которые были к тому времени известны. Сейчас дети их не знают, а жаль.

Неизвестный художник. Отражение в зеркале

Неизвестный художник. Книги. 1737

Да, друзья мои, я забыл сказать самое главное! Вы поняли, у кого в гостях мы побывали? Не-ет, не просто у Серёжи Аксакова. Это тогда, в 1798 году ему было 7 лет, а в 1858-м Сергей Тимофеевич Аксаков закончит свою знаменитую книгу «Детские годы Багрова-внука».

— Аксаков! — воскликнула Оля. — Ну конечно! «Аленький цветочек» — это же его сказка, да?

— Конечно, и не просто сказка, а приложение к книге «Детские годы Багрова-внука».

— Вот это да!.. — только и мог сказать Игорь.— Как это всё связано: Аксаков в детстве много читает, а потом становится писателем и пишет книгу для детей. Эх, если бы я раньше знал, что мы будем в гостях у писателя Аксакова в детстве, я бы...

— Ну-ну, не огорчайтесь так, сударь мой. Всё в наших руках, – остановил Игоря Николай Александрович. — У меня есть книга «Детские годы Багрова-внука». Это автобиографическое произведение, то есть Сергей Тимофеевич Аксаков написал книгу о своём собственном детстве. Он дал герою своё имя — Серёжа, а фамилию другую — Багров. Если вы прочитаете эту книгу, то сможете как бы снова встретиться с Серёжей и узнать всё, о чём не успели его спросить.

М.Н. Аксакова
(мать писателя)

С.Т. Аксаков
(1810-е годы)

Сергей Аксаков (1791—1859)

из книги
«ДЕТСКИЕ ГОДЫ БАГРОВА-ВНУКА»

1

Я всякий день читал свою единственную книжку «Зеркало добродетели»[1] моей маленькой сестрице, никак не догадываясь, что она ещё ничего не понимала, кроме удовольствия смотреть картинки. Эту детскую книжку я знал тогда наизусть всю; но теперь только два рассказа и две картинки из целой сотни остались у меня в памяти. Это «Признательный лев» и «Сам себя одевающий мальчик». Я помню даже физиономию льва и мальчика! Наконец «Зеркало добродетели» перестало поглощать моё внимание и удовлетворять моему ребячьему любопытству, мне захотелось почитать других книжек, а взять их решительно было негде; тех книг, которые читывал иногда мой отец и мать, мне читать не позволяли. Я принялся было за «Домашний лечебник Бухана», но и это чтение мать сочла почему-то для моих лет неудобным; впрочем, она выбирала некоторые места и, отмечая их за-

---

[1] «Зеркало добродетели» — переведённая с немецкого книга, изданная в Москве в 1794 году.

кладками, позволяла мне их читать; и это было в самом деле интересное чтение, потому что там описывались все травы, соли, коренья и все медицинские снадобья, о которых только упоминается в лечебнике. Я перечитывал эти описания уже гораздо в позднейшем возрасте и всегда с удовольствием, потому что всё это изложено и переведено на русский язык очень толково.

2

Благоде́тельная судьба скоро послала мне неожиданное новое наслаждение, которое произвело на меня сильнейшее впечатление и много расширило тогдашний круг моих понятий. Против нашего дома жил в собственном же дому С.И. Ани́чков, старый богатый холостяк, слывший очень умным и даже учёным человеком.

К моему отцу и матери он благоволи́л и даже давал взаймы денег, которых просить у него никто не смел. Он услышал как-то от моих родителей, что я мальчик прилежный и очень люблю читать книжки, но что читать нечего. На другой день вдруг присылает он человека за мною; меня повёл сам отец. Аничков, расспросив хорошенько, что я читал, как понимаю прочитанное и что помню, остался очень доволен, велел подать связку книг и подарил мне… о, счастье… «Детское чтение для сердца и разума»[1], изданное Н.И. Новико́вым. Я так обрадовался, что чуть не со слезами бросился на шею старику и, не помня себя, запрыгал и побежал домой, оставя своего отца беседовать с Аничковым. Помню, однако, благосклонный и одобрительный хохот хозяина, загреме́вший в моих ушах и постепенно умолкавший по мере моего удаления. Боясь, чтобы кто-нибудь не отнял моего сокровища, я пробежал прямо через сени в детскую, лёг в

---

[1]Первый русский журнал для детей, издававшийся в 1785—1789 гг. Н.И. Новико́вым.

свою кроватку, закрылся пологом, развернул первую часть — и позабыл всё меня окружающее. Когда отец воротился и со смехом рассказал матери всё происходившее у Аничкова, она очень встревожилась, потому что и не знала о моём возвращении. Меня отыскали лежащего с книжкой. Мать рассказывала мне потом, что я был точно как помешанный: ничего не говорил, не понимал, что мне говорят, и не хотел идти обедать. Должны были отнять книжку, несмотря на горькие мои слёзы. Угроза, что книги отнимут совсем, заставила меня удержаться от слёз, встать и даже обедать. После обеда я опять схватил книжку и читал до вечера. Разумеется, мать положила конец такому исступлённому чтению: книги заперла в свой комод и выдавала мне по одной части, и то в известные, назначенные ею часы. Книжек всего было двенадцать, и те не по порядку, а разрознённые. Оказалось, что это неполное собрание «Детского чтения», состоявшего из двадцати частей. Я читал свои книжки с восторгом и, несмотря на разумную бережливость матери, прочёл всё с небольшим в месяц. В детском уме моём произошёл совершенный переворот, и для меня открылся новый мир… Я узнал в «Рассуждении о громе», что такое молния, воздух, облака; узнал образование дождя и происхождение снега. Многие явления

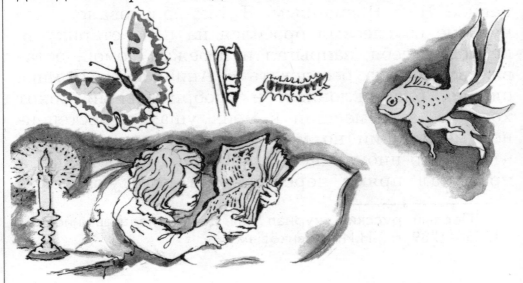

в природе, на которые я смотрел бессмысленно, хотя и с любопытством, получили для меня смысл, значение и стали ещё любопытнее. Муравьи, пчёлы и особенно бабочки с своими превращениями овладели моим вниманием и сочувствием; я получил непреодолимое желание всё это наблюдать своими глазами. Собственно нравоучительные статьи производили менее впечатления, но как забавляли меня «Смешной способ ловить обезьян» и басня «О старом волке», которого все пастухи от себя прогоняли! Как восхищался я «Золотыми рыбками»!

3

По книжной части библиотека моя, состоявшая из двенадцати частей «Детского чтения» и «Зеркала добродетели», была умножена двумя новыми книжками: «Детской библиотекой» Шишко́ва и «Историей о Младшем Ки́ре и о возвра́тном походе десяти тысяч греков», сочинения Ксенофо́нта. Книги эти подарил мне тот же добрый человек, С.И. Аничков; к ним прибавил он ещё толстый рукописный том, который я теперь и назвать не умею. Я помню только, что в нём было множество чертежей и планов, очень тщательно сделанных и разрисованных красками.

1. Какое представление о детской литературе XVIII века у вас сложилось после чтения отрывков из книги Аксакова?
2. Какой по характеру Серёжа Багров — герой книги?

Игорь и Оля читали повесть «Детские годы Багрова-внука» и радовались, что язык автора почти современный и ничего не нужно переводить.

— Неудивительно, друзья мои, — объяснил Николай Александрович. — Аксаков закончил эту книгу, когда ему было 67 лет, в 1858 году, то есть в середине XIX века. Именно поэтому текст читается довольно легко. Написана книга специально для детей и посвящена внучке, которой в 1858 году исполнялось десять лет. Аксаков описал историю своего детства с трёх до девяти лет, это как раз конец XVIII века (1791—1800). А вы были в гостях у Серёжи, когда ему было 7 лет, то есть в 1798 году.

— Как здорово! — вздохнула Оля. — Аксаков жил и в XVIII, и в XIX веке... А вот интересно, были автобиографические (девочка медленно выговорила новое трудное слово) книги, которые написаны в XVIII веке?

— Конечно, были, — ответил Николай Александрович, который был очень доволен Олиным вопросом. Ему представлялась возможность рассказать о своём любимом писателе: — Я расскажу вам об удивительном человеке. Его имя — Андрей Болотов. Крупнейший учёный, основатель русской науки о сельском хозяйстве, врачеватель, изобретатель, художник, архитектор, актёр, писатель — это всё он, Андрей Болотов. Он открыл пансион для детей и сам преподавал в нём почти все науки, написал учебник; организовал первый в России детский театр и сам писал для него пьесы. Болотов — автор первой русской комедии для детей. Она называлась «Честохвал» и была поставлена, имела успех. Роли исполняли дети, причём так удачно, что публика потребовала разгримировать актёров прямо на сцене, чтобы убедиться, что актёры — действительно дети! В пьесе автор смеялся над плохими детьми — лгунами, хвастунами, невеждами, и ставил им в пример хороших детей — прилежных, с добрыми характерами. Вы только подумайте, каким образованным и талантливым человеком был Андрей Боло́тов: в своём детском театре он одновре́менно был автором пьес, режиссёром, художником, композитором, постановщиком танцев, костюмером и даже суфлёром (это человек, который подсказывал актёрам текст роли). И это ещё не всё! Он написал удивительную книгу — «Жизнь и приключения Андрея Боло́това, написанные самим им для своих потомков». Это рассказ человека XVIII века о себе, о жизни русских людей того времени. Книга эта в общем недетская, но в ней есть места, которые вам будут интересны и понятны. Вот, например, о том, как учились дети в XVIII веке. Я дам вам эту книгу, она переиздана не так давно — в 1991 году. А ещё я вам принёс детские книги Шишко́ва и Новико́ва. Что вы хотите почитать сначала?

— Можно сначала Болотова? — попросила Оля.

— А мне хочется журналы Новикова посмотреть. Всё-таки самые первые для детей, — сказал Игорь. — Интересно, похожи они на наши?

— Это вы сами увидите, сударь мой. Вот вам книги.

Петербургская Академия Наук

Андрей Боло́тов (1738—1833)

из книги

«ЖИЗНЬ И ПРИКЛЮЧЕНИЯ АНДРЕЯ БОЛОТОВА, НАПИСАННЫЕ САМИМ ИМ ДЛЯ СВОИХ ПОТОМКОВ»

ПРЕДУВЕДОМЛЕ́НИЕ[1]

Не тщесла́вие, и не ины́я какия наме́рения побудили меня написать сию историю моей жизни; в ней нет никаких чрезвычайных и таких достопа́мятных и важных происшествий, которыя бы достойны были переданы быть свету, а следующее обстоятельство было тому причиною.

Мне во всю жизнь мою́ досадно было, что предки мои были так неради́вы, что не оставили после себя ни малейших письменных о себе известий, и чрез то лишили нас, потомков своих, того приятнаго удовольствия, чтоб иметь о них, и о том, как они жили, и что с ними в жизни их случалось и происходило, хотя некоторое небольшое сведение и понятие. Я тысячу раз сожалел о том и дорого бы заплатил за каждый лоскуток бумажки с таковы́ми известиями. Я винил предков моих за таково́е небреже́ние, и сам

---

[1] В тексте сохранены некоторые особенности правописания того времени.

рассудил употребить некоторые праздные и от прочих дел остающиеся часы на описание всего того, что случилось со мною во всё время продолжения моей жизни...

ИСТОРИЯ МОИХ ПРЕДКОВ И ПЕРВЕЙШИХ ЛЕТ МОЕЙ ЖИЗНИ

Письмо 1-е

Любезный приятель!

Наконец решился предпринять тот труд, который давно уже был у меня на уме, а именно, сочинить историю моей жизни, или описать всё то, что случилось со мною во всё течение моей жизни.

...Расскажу я теперь один случай и происшествие со мною, бывшее около сего времени[1].

Однажды, обучая меня арифметике, вздумалось учителю моему мне сказать, что в последующий за тем день задаст он мне такую задачу, над которою я довольно посижу и едва ли сделать буду в состоянии. Я каков ни мал был, но арифметика была мне довольно знакома, и тронуло сие моё честолюбие, я любопытен был узнать, что за такая мудрёная была та задача, о которой он с превеликою надменностию о своём знании говорил, и почему б такому сомневался он, что я её не сделаю. Побуждаем сим любопытством, просил я его, чтоб он мне сказал существо задачи, и по несчастию моему он сие и исполнил.

Задача в самом деле была для меня новая и такая, какой я до того времени не делывал, а именно касающаяся до стада гусей и повстречавшегося с ним одного гуся.

Не успел я услышать и узнать, в чём состояла задача, как не хотя поставить себя в стыде,

[1]Время, о котором идёт речь, — 1747 год, Андрею 9 лет.

начал я ещё тогда же мысленно доискиваться, какому ж числу надлежало быть, если положив о́ное ещё раз да половину, да четверть того числа, да ещё одного гуся, пришлось бы ровно сто. И как любопытство, так и желание до того добраться было так велико, что я, легши спать, до полуночи не спал, а всё думал, и прежде не уснул, покуда не добрался, что число гусей было 36. Сей случай был первый, при котором разум мой оказал свою способность и принуждён был действовать собою. Я несказа́нно обрадовался, добравшись до желаемого, и заснул в мечтательных воображениях от удивления и удовольствия, какое будет иметь мой учитель при скором моём решении его задачи, и с нетерпеливостию дожидался до того времени, как мне о́ная задана будет. Сколь я ни мал был, но рассудил, что дурно будет, если сделаю я её слишком скоро, а потому и положил притвориться и наперёд минуту-другую цифров пописать, а потом уже сделать, что и исполнил я в самой точности.

Но что ж воспосле́довало и сколь много обманулся я в моём ча́янии[1] и ожидании и сколь худо заплачено было за моё усердие и труды. Не успел я известное мне число на доске написать и задачу сделать, как вместо всех ожидаемых за то похвал учитель мой вздурился. Обстоятельство, что он в ожидании своём обманулся и ему не удалось меня помучить, так его взбесило, что напал на меня как лютый зверь и насильно потребовал, чтоб я признался, что я у него число сие подсмотрел. Я, ведая его бешеный нрав, вострепетал, сие увидев. Я клялся ему небом и землёю и призывал всех святых в свидетели, что целую почти ночь не спал и доискался

---

[1]Ча́яние — надежда, ожидание.

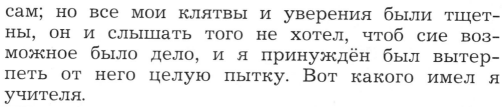

сам; но все мои клятвы и уверения были тщетны, он и слышать того не хотел, чтоб сие возможное было дело, и я принуждён был вытерпеть от него целую пытку. Вот какого имел я учителя.

1. Перечитайте начало книги — «Предуведомление». Почему автор придаёт такое большое значение автобиографическим произведениям?
2. Подумайте, какое значение для нас сегодня имеют воспоминания людей, живших много лет и даже столетий назад.

Ребята, а сейчас вы будете читать статьи из детского журнала Николая Ивановича Новикóва.

Учитывая, что в то время в России почти не было литературы для детского чтения, писатель и учёный Н.И. Новиков решил издавать первый русский журнал для детей. Он писал: «Благоразумные родители и все старающиеся о воспитании детей признаются, что между некоторыми неудобствами в воспитании одно из главных в нашем отечестве есть то, что детям читать нечего. Они должны бывают читать книги, которые либо совсем для них непонятны, либо доставляют им такие сведения, которые им иметь ещё рано; того ради намерены мы определить «Прибавления» к ведомостям для детского чтения и помещать в них исторические, моральные и разные другие пьесы, которые писаны будучи соразмерным детскому понятию слогом, доставляли бы малолетним читателям приятное упражнение...».

Н.И. Новиков

Николай Новико́в (1744—1818)

Статьи из журнала
**«ДЕТСКОЕ ЧТЕНИЕ
ДЛЯ СЕРДЦА И РАЗУМА»**[1]

МОЛОДОЙ ПУТЕШЕСТВЕННИК

Молодой Скоробе́г захотел путешествовать и отправился со своим гофме́йстером[2] в чужие края. Но как скоро приезжали они в какое-нибудь место, то он спрашивал: «Куда же мы ещё поедем?», и никогда не хотел осматривать достопа́мятностей в тех городах, в которых они останавливались, но всегда нетерпеливо желал видеть новые места. Гофмейстер просил его пребывать по нескольку времени во всяком городе для того, что, переезжая только из одного места в другое, не получил бы он никакой пользы от своего путешествия. Но тщетно; он не мог его нико́им образом уговорить.

Что же последовало? Скоробег, возвратившись домой, не знал ничего о тех местах, чрез которые проезжал, кроме их имени. Тогда-то усмотрел он свою глупость и снова должен был начать путешествовать.

---

[1] Во всех статьях сохранена авторская пунктуация.
[2] Гофме́йстер — один из придворных чинов.

То же случается с детьми, которые не хотят замечать того, что учитель с ними проходит, не всегда спрашивают о том, что следует, и, таким образом, наконец, ничему не выучиваются. Кто хочет основательно чему-нибудь научиться, тот должен прилежно замечать всё, что ему говорят или что он читает, и не спешить к концу какой-нибудь книги, не выразумевши начала.

НАЧАЛО ТОЛЬКО ТРУДНО

Маленький Фёдор весьма не любил рано вставать. Хотя он и усма́тривал, сколько теряет он времени, просыпая долго, и хотя часто принимал наме́рение отстать от худой своей привычки, однако ему никогда не удавалось исполнить сие́ наме́рение для того, что он не имел довольно бодрости, чтобы одолеть отвращение от раннего вставания. Однажды летом случилось ему проснуться в пять часов по́утру. Вспомнив своё намерение, подумал он, что ему необходимо надобно когда-нибудь начать исполнять его, вскочил поскорее с постели и оделся. Одеваясь, приходил он в иступле́ние опять лечь и заснуть, однако ж он прину́дил себя и, одевшись совсем, принялся за свой урок. Он приметил с удовольствием, что тогда выучил урок гораздо легче и скорее, нежели прежде выучивал.

Во весь тот день учитель его был им весьма доволен и поступил с ним ласково. Сам он также был весел и спокоен; ему казалось, что он начал новую жизнь.

— Мне стоило небольшого только принуждения встать сегодня рано, — так рассуждал он сам с собой, — и это принесло мне столько удовольствия. Не глуп ли бы я был, если бы не стал стараться всякий день рано вставать?

Он исполнил своё намерение. День ото дня становилось это для него легче и, наконец, сделалось привычкою, так что не мог уже спать долго, хотя бы и желал.

Равным образом и всё, что сперва кажется нам очень трудно, наконец может сделаться привычкой. Надобно только сначала принудить себя раза два; потом уже будет оно гораздо легче, а напоследок и приятным сделается.

КРЕСТЬЯНСКОЕ СОСТОЯНИЕ

Памфил, старый крестьянин, имел нужду до Феденькина отца. Пришедши в его дом, встретился он с Феденькою, который спросил у него, зачем он пришёл. Памфил отвечал ему, что он имеет нужду поговорить с его отцом. Феденька пошёл наперёд к отцу и сказал ему об этом.

«Для чего же ты тотчас не впустил его ко мне?» — спросил отец.

«И! Батюшка, — отвечал Феденька, — он простой мужик».

Отец не заставил старого Памфила долго ждать, позвал его тотчас к себе, обошёлся с ним ласково и переговорил, о чём надобно было; после чего крестьянин ушёл домой.

Когда сели обедать, то отец приказал подать себе хлеб и разделил его так, что Феденьке ничего не досталось.

«Батюшка, у меня хлеба нет», — сказал Феденька.

Отец. «Ты должен сегодня без хлеба обедать».

Феденька. «А для чего?»

Отец. «У нас не осталось уже хлеба. Старый Памфил не привёз муки, и для того хлеба испечь было не из чего».

Феденька. «Разве мы от старого Памфила хлеб получаем?»

Отец. «Конечно. Кто же пашет землю, сеет, жнёт и молотит рожь, из которой мы хлеб делаем?»

Феденька. «Это всё крестьяне делают?»

Отец. «Ну, если бы крестьяне не захотели этого делать, что бы с нами тогда было? Нам надобно бы было самим приняться за их работу или терпеть голод. Добрые эти люди живут в бедности и отправляют тяжкую работу для того, чтобы мы спокойно питались их трудами».

Феденька. «Ах! Батюшка, я поступил сегодня со старым Памфилом очень презрительно, простите меня в этом».

Отец. «Я хотел только показать тебе, сколь дурно ты поступил. Кто презирает крестьянина, тот недостоин питаться хлебом. Но мне очень приятно, что ты одумался, я дам теперь и тебе хлеба».

После обеда отец взял Феденьку с собой на поле. Это было во время жатвы. Феденька с удивлением смотрел на жнецов, которые работали на солнечном жару и были притом веселы, хотя работа их была очень трудна.

Увидевши старого Памфила, подбежал он к нему, взял его за руку и говорил ему: «Прости меня, друг мой, в том, что я сегодня дурно с тобой поступил».

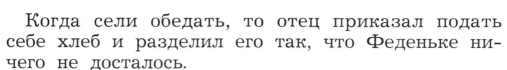

«Для меня всё равно, как бы ты со мной ни поступил, — отвечал старик, — но для тебя же лучше, что ты стал поумнее».

Отец часто показывал Феденьке крестьянские труды. Он узнал, сколь полезны сии люди, и научился уважать их состояние.

1. «Детское чтение для сердца и разума» — первый русский журнал специально для детей. Николай Иванович Новиков помещал в нём статьи двух видов: для «воспитания сердца», то есть нравоучительные, и для «обогащения ума», где были сведения по истории, географии и другим наукам. Вы прочитали несколько нравоучительных статей. Обратите внимание, как они построены, чем обычно заканчиваются.

2. Ребята, возможно, эти рассказы (тогда их называли «статьи») показались вам очень наивными, простенькими, даже смешными. Но не забывайте: это первая попытка воспитывать детей с помощью литературы. Вы поняли, что хотел объяснить детям писатель, чему хотел научить?

3. Встречали ли вы в современной детской литературе нравоучительные произведения (то есть такие, которые воспитывают, дают советы, объясняют человеческие поступки, поведение)? Вспомните, например, рассказ Иосифа Дика «Красные яблоки» или «Тайное становится явным» Виктора Драгунского. В определённом смысле эти рассказы нравоучительные. Но чем они отличаются от статей Новикова?

Александр Шишко́в (1754—1841)

ИЗ КНИГИ
«СОБРАНИЕ СОЧИНЕНИЙ И ПЕРЕВОДОВ»

ПЕСЕНКА НА КУПАНИЕ

Ребята, нам в поле
От солнца сгореть,
Дня жа́рка мне боле
Нет мочи терпеть.
Мы можем собраться
В другой раз сюда.
Купаться, купаться
Теперь череда.

Вон мягкой травою
Покрыт бережок,
И там над водою
Я вижу кусток;
Туда раздеваться
Скорее пойдём,
Плескаться, плескаться
Водою начнём.

Кто дале не смеет,
У краешка стой;
А кто не робеет,
Ступай тот за мной.
Не бойтесь, идите,
Здесь омутов нет.
Смотрите, смотрите,
Как Митя плывёт.

Смотрите, Петруша
Плывёт на спине;
А там вон Андрюша
Верхом на бревне.
Эй, брат! Не свалися
С коня своего:
Держися, держися,
Приляг на него.

Взгляните, кружками
Здесь в кучке стоят
И воду руками
Полощут, мутят:
Какие же визги
У них и содо́м[1]!
А брызги, а брызги
Летают кругом!

Ну полно купаться,
Я бел и легок.
Пора одеваться,
Пора на лужок.
На милой муравке
Хочу полежать;
По травке, по травке
Хочу пробежать!

ЯГНЁНОК

Ягнёнок был резо́в,
Ягнёнка мать журила
И говорила:
Не будь, мой сын, таков;
Когда ни есть во вре́мя гро́зно
Беды тебе не миновать;
Тогда ты вспомнишь мать,
Да вспомнишь поздно.
Ягнёнок был упрям,
Не веря сим словам,
И там и сям
По ка́мням, по кустам,
Он прыгал и скакал дото́ле[2],

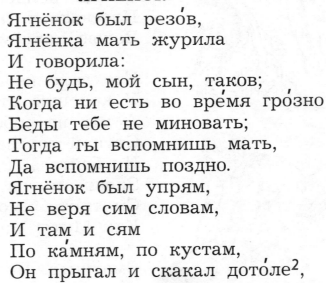

---

1 Содо́м — беспорядок, шум, суматоха.
2 Дото́ле — до тех пор.

Покуда с горем и стыдом,
Бедняжка ставши хром,
Уселся поневоле.

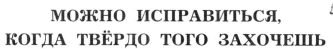

О дети! Помните, что скóрби и беды́
Суть часто лишнего веселия плоды.

МОЖНО ИСПРАВИТЬСЯ,
КОГДА ТВЁРДО ТОГО ЗАХОЧЕШЬ

Вам, дети, впадшие по несчастию в какую-либо худую привычку, вам во утешение скажу я нечто, из чего бы вы увидели, что всякий порок исправить можно, когда твёрдо того захочешь.

Маша, премилая девочка, до шести лет возраста своего была утехою своих родителей.

Потом, не знаю каким образом, заняла она негодные повадки. Когда, бывало, услышит она, что её за дурные поступки не хвалят, то всегда надувала губы. А когда кто-нибудь возьмёт нечто из её вещей, то она бросалась на того с такою злостью, что рада была его укусить.

Если прикажут ей сделать, чего она не хочет, или откажут в том, чего ей хочется, то она или заворчит, нахмурившись, или, идя с сердцем из горницы, хлопнет изо всей силы дверью.

С тех пор отцу своему и матери наводила она великую печаль, и не было ни одного человека в доме, который бы её любил.

Хотя часто приходила она в раскаяние и, сделавши худо, горько о том плакала, однако же вперёд от того не воздерживалась.

В один вечер (это было в Свя́тки[1]) вбежала она за матерью, которая в покрытой корзинке принесла нечто в другую комнату.

Мать, не хотя, чтобы она тут была, велела ей выйти вон: тут-то насупилась она и хлопнула дверью так сильно, что окна задрожали.

Спустя полчаса мать кликнула её к себе. Как удивилась она, когда, вошед, увидела, что вся комната освещена была, а посередине стоял покрытый стол и на нём множество разных игрушек лежало! Она не могла выговорить ни слова.

— Подойди ближе, Маша! — сказала мать, — и прочитай вот эту бумажку.

Маша подошла и, развернув бумажку, которая поверх игрушек лежала, нашла в ней сии слова: «тихому дитяти в награждение за его послушание». Она тотчас потупила глаза.

— Ну, Маша, — спросила мать, — для кого же это?

— Не для меня, — отвечала Маша, и слёзы навернулись у неё на глазах.

— Вот здесь другая бумажка, — сказала мать, — посмотрим, тут не о тебе ли сказано.

Маша прочитала: «упрямому и непослушному дитя́ти, которое призна́ется в своём пороке и захочет исправиться».

— Это я, это я! — вскричала она и бросилась с горькими слезами к матери своей на шею.

Мать её также заплакала и от печали, что видела дочь свою в худом поведении, и от радости, что привела её к раскаянию.

— Ну так возьми их себе, когда они твои, — сказала она, помолчав несколько, — и дай Бог, чтоб ты сдержала твоё теперешнее обещание.

— Нет, матушка, — отвечала Маша, — я не хочу их прежде взять, поку́дова не

---

[1] Свя́тки — у христиан: праздничные дни — промежуток времени от Рождества до Крещения.

буду такова́, как в бумажке написано. Возьмите вы их к себе, и тогда мне пожалуйте, когда я по́длинно таково́ю сделаюсь.

Сей ответ весьма обрадовал мать; она убрала всю игру в сундучок и, отдавая от него дочери ключ, сказала:

— На, Машенька, держи его у себя, и когда ты сама почувствуешь, что ничего худого не делаешь, то бери себе игрушек сколько хочешь.

Шесть недель прошло, как Маша ни одного проступка не сделала, и вела себя весьма порядочно.

После того в один день приласкалась она к матери и печальным голосом у неё спросила, может ли она теперь взять несколько игрушек.

— Возьми, душа моя! — сказала мать с умилением и поцеловала её. — Но скажи мне, каким образом отстала ты от своих дурных привычек?

— Я всегда их имела в памяти, — отвечала Маша, — и всякое утро и вечер молилась Богу, чтоб он помог мне от них отстать. Таким образом в короткое время они мне омерзе́ли[1].

Мать пролила радостные слёзы, Маша получила игрушки, и все в доме стали её любить.

И так твёрдое намерение и молитва могут и детей избавлять от пороков.

Мать рассказывала однажды сию счастливую перемену при некоторой девушке, которая таким же подвержена была порокам.

Она так этим была тронута, что вознаме́рилась то́тчас последовать Машенькиному примеру, чтоб столько же, как она, сделаться любви достойною.

И сие́ ей также удалось. И так Маша не только сама исправилась и стала счастлива, но сделала то, что и другие дети, глядя на неё, исправлялись.

Какое же дитя захочет самого себя и других лишить радости?

_____
[1]Омерзе́ли — показались очень скверными.

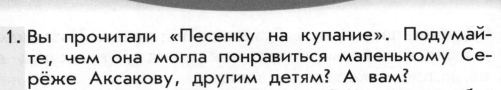

1. Вы прочитали «Песенку на купание». Подумайте, чем она могла понравиться маленькому Серёже Аксакову, другим детям? А вам?
2. В чём смысл басни «Ягнёнок»? Что хотел объяснить маленьким читателям А.С. Шишков?
3. Сравните рассказ «Можно исправиться...» со статьями Н.И. Новикова. Есть ли сходство?

Так как полёты в прошлое временно прекратились, близнецы решили пригласить профессора в гости. И вот наши герои сидят в комнате близнецов, пьют чай с кексом и чинно беседуют, как вы уже, конечно, догадались, о детской литературе.

Николай Александрович снимает очки, отодвигает чашку. Это значит, что он готовится произнести небольшой монолог.

— Видите ли, мне бы не хотелось, чтобы вы судили о литературе по-детски: интересно—неинтересно. Вы, конечно, понимаете, что современной литературы просто не было бы без тех произведений, которые вы прочитали. Посмотрите: сначала детям читают отрывки из летописей, из «Слова о полку Игореве», рассказывают сказки. Постепенно появляются первые детские книги — учебники, потом первый детский поэт, первые писатели... Все они талантливые люди, образованные, они понимают всю важность книг для детей: книги воспитывают, дают пищу «для сердца и разума»! Постепенно складываются и различные виды детских произведений (мы называем их сейчас жанрами): стихи, песенки, басни, статьи. Статьи нравоучительные потом, гораздо позже, превратятся в рассказы, а статьи познавательные — в научно-популярную литературу для детей. Конечно, статьи эти во многом наивные, их нравоучительный смысл буквально «лежит на поверхности», но сколько в них доброты, трогательной любви к ребёнку. А как интересен язык произведений для детей! Уже к концу XVIII века он становится понятнее, ближе к разговорному.

Думаю, вы согласитесь со мной, друзья, что нам с вами важно знать о прошлом своей культуры, о её истоках. Ведь без прошлого нельзя понять настоящее...

Ребята, вместе с нашими героями вы совершили путешествие к истокам детской литературы. Теперь мы предлагаем вам вопросы и задания.

1. Какими были книги до изобретения книгопечатания? Как они создавались и кем?
2. Какую литературу использовали для детского чтения до появления специальных детских книг?
3. Что вам показалось самым интересным и важным из того, что вы узнали о Савватии и Дмитрии Герасимове — авторах первых рукописных произведений для детей?
4. Что вы знаете о первой печатной детской книге?
5. Что вы знаете о поэтах XVII века Симеоне Полоцком и Карионе Истомине? Назовите темы их произведений.
6. Какой интересный факт вы узнали об императрице Екатерине Второй?
7. Что вы узнали о буквах и словах древнерусского языка, языка произведений XVIII века?
8. Перечислите детских писателей XVIII века, назовите их произведения.
9. Расскажите о личности Андрея Болотова.
10. Что вы узнали о первом журнале для детей?
11. О чём писали авторы XVIII века в статьях для детей? Перечислите темы статей Н.И. Новикова, А.С. Шишкова.
12. Что вам больше всего запомнилось в путешествии к истокам детской литературы?
13. Напишите сочинение на одну из тем:

Моё путешествие в историю детской литературы.
Страничка истории детской литературы.
Моё открытие писателя и человека.
Какие мудрые мысли я нашёл в книгах писателей XVIII века (XVII века, в летописях).

Раздел 3
XIX век. Путешествие продолжается...

По железным крышам Остоженки барабанил дождь, а в комнате Николая Александровича было тепло, пахло старыми книгами.

— Друзья мои! — торжественно произнёс Николай Александрович. — Я закончил усовершенствование нашей машины, и мы можем снова отправляться в путешествие. Нам предстоит полёт в XIX век, и я даже решил точно, в какое именно время и место мы должны попасть. Но перед полётом нам необходимо переодеться. У меня есть сюртук, вот смотрите, чёрный плащ-накидка и даже цилиндр. Здесь, в нашей старой квартире, сохранились многие вещи моего прадеда. А это для вас, сударыня! — и Николай Александрович протянул Оле небольшую меховую трубочку.

— Что это? — удивилась Оля.

— Муфта. В неё можно засунуть обе руки сразу, если холодно. Нет, не так, с двух сторон. Теперь правильно. Так дамы в прошлом веке согревали руки. Ну а длинное платье у вас найдётся? И тёплая накидка?

— Ой, конечно! — радостно воскликнула Оля. — Я готовила в прошлом году к новогоднему карнавалу костюм феи, а Игорь был эльфом. У него есть хорошенький сюртучок, правда, с крылышками, но я их отрежу аккуратно.

— Ну что ж, прекрасно, друзья мои! Встречаемся у меня через полчаса, уже в костюмах.

Скоро наши герои сидели в креслах готовые к полёту.

— Держитесь крепче, сударыня! — услышала Оля голос Николая Александровича.

Девочка схватилась за ручки кресла и зажмурила глаза. Она хотела позвать Игоря, но не смогла. Через несколько секунд раздался звон, потом скрежет, потом сильный порыв ветра влетел в комнату. Вдруг девочка почувствовала, что её тело стало очень лёгким и она уже не сидит в кресле, а плывёт...

ПУТЕШЕСТВИЕ ТРЕТЬЕ
Москва начала XIX века. Книжная лавка.
Знакомый незнакомец

...Оля открыла глаза и увидела брата. Игорь тоже плыл, раскинув руки. Что это? Море? Непохоже. Ну конечно же, это воздух, воздушный океан! Дети медленно парили над землёй. Под ними проплывали поля, лес, потом начался город. Вдруг Игорь закричал:

— Смотри, это же наша улица!

Оля всмотрелась и узнала знакомые дома. Да, это была их Остоженка, но что-то в ней изменилось. Дома были как будто те же, но исчез асфальт. Не было машин, троллейбусов, зато по улице медленно катился смешной старинный экипаж. Оля видела такие на картинках. В экипаже сидел человек. Его лицо показалось Оле знакомым. «Кто это? Где я его видела?» — никак не могла вспомнить девочка.

Опустившись на землю, наши герои отправились следом за незнакомцем. Оказалось, что Николай Александрович искал на Остоженке именно этого человека.

Незнакомец, выйдя из экипажа, остановился у книжной лавки. Звякнул колокольчик, дверь отворилась, и он вошёл. Николай Александрович, Игорь и Оля вошли следом. Подойдя к прилавку, дети увидели, что человек, за которым они шли, листает какую-то книгу. Игорю удалось прочесть её название «Эзоп. Басни».

Москва. Начало XIX века

Пока Оля и Игорь рассматривали книги, Николай Александрович вступил в разговор с незнакомцем.

— Интересуетесь баснями Эзопа, милостивый государь?

— Да, и весьма. А каковы ваши интересы, позвольте узнать?

— Я интересуюсь детским чтением... но, простите, я не представился. Профессор Рождественский к вашим услугам.

— Крылов, Иван Андреевич, — в свою очередь представился его собеседник.

Игорь схватил Олю за руку, и близнецы, забыв о приличиях, стали в упор рассматривать человека лет 35, высокого, с грузной фигурой. Ну конечно же, это его портрет висел у них в классе, только живой Крылов, которого они сейчас видели, был значительно моложе.

— Позвольте выразить вам своё восхищение, сударь, — продолжал Николай Александрович. — Я знаком с вашими пьесами и баснями, весьма и весьма занятно. Жаль, что басни не всегда пригодны для детского чтения, хотя и поучительны.

— Я не могу с вами согласиться, милостивый государь, — возразил Крылов, — напротив, я видел, как читают мои басни дети. Им понятен смысл, интересен короткий занимательный сюжет, где мало описаний и много диалогов. Героев обычно несколько, поэтому их легко запомнить, особенно главного, который выражает мою основную идею. Басни чем-то напоминают сказки: дикие животные, птицы, рыбы, предметы в них разговаривают и действуют, как в сказках. Дети любят разыгрывать басни, передавать интонацию героев, подражать их голосам. К басням легко рисовать картинки. И потом, многие басни смешны, а с помощью смеха легко довести до детского ума мысль о вреде дурных привычек и свойств человеческого характера. Вообще умение увидеть смешное и сказать смешно о серьёзном очень часто выручало меня в жизни. Так-то, сударь... — и Крылов вновь углубился в книгу.

— Нам пора, друзья мои, — обратился к детям Николай Александрович.

Наши путешественники вышли из книжной лавки, медленно пошли по улице и вскоре оказались на берегу Москвы-реки.

Игорь наконец пришёл в себя после всего увиденного и услышанного.

— Хм, басни, — сказал он вдруг. — Я никогда их особенно не любил, а теперь почему-то захотелось почитать Крылова.

— Как только вернёмся, мы обязательно почитаем, — отозвался Николай Александрович. — Кстати, друзья, вы ошибаетесь, если думаете, что басни — основное в творчестве Крылова. В его Полном собрании сочинений в трёх томах они занимают лишь одну восьмую часть.

— А остальное? — удивилась Оля.

— Пьесы, их Крылов написал всего тринадцать; повести и даже роман. Вы знаете, в биографии Крылова есть один интересный факт: свою первую пьесу он написал, когда ему было 15 лет, и получил за неё от издателя немалый по тогдашним временам гонорар, то есть плату, — 60 рублей. Радость автора была велика. Но он обрадовался ещё больше, когда вместо денег ему позволили выбрать на эту сумму книги лучших драматургов. Я уже говорил, тогда Крылову было 15, а в 20 лет он уже самостоятельно издавал журнал «Почта духов» и печатал в нём свой роман с продолжением...

И.А. Крылов

Литературный обед в книжной лавке А.Ф. Смирдина. Гравюра С.Ф. Галактионова с оригинала А.П. Брюллова. 1833 г.

Иван Крылов (1769—1844)

СЛОН И МОСЬКА

По улицам Слона водили,
Как видно, напоказ —
Известно, что Слоны в диковинку у нас —
Так за Слоном толпы зевак ходили.
Отколе ни возьмись, навстречу Моська им.
Увидевши Слона, ну на него метаться,
И лаять, и визжать, и рваться,
Ну, так и лезет в драку с ним.
«Соседка, перестань срамиться, —
Ей Шавка говорит, — тебе ль с Слоном возиться?
Смотри, уж ты хрипишь, а он себе идёт
Вперёд
И лаю твоего совсем не примечает». —
«Эх, эх! — ей Моська отвечает, —
Вот то-то мне и духу придаёт,
Что я, совсем без драки,
Могу попасть в большие забияки.
Пускай же говорят собаки:
«Ай, Моська! знать она сильна,
Что лает на Слона!»

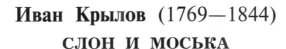

КВАРТЕТ

Проказница-Мартышка,
Осёл,
Козёл
Да косолапый Мишка
Затеяли сыграть Квартет.
Достали нот, баса, альта[1], две скрипки
И сели на лужок под липки, —
Пленять своим искусством свет.
Ударили в смычки, дерут, а толку нет.
«Стой, братцы, стой! — кричит Мартышка. —
Погодите!

---

[1] Альт и бас — музыкальные струнные инструменты.

Как музыке идти? Ведь вы не так сидите.
Ты с басом, Мишенька, садись против альта́,
Я, при́ма[1], сяду против вто́ры[2];
Тогда пойдёт уж музыка не та:
У нас запляшут лес и горы!»
Расселись, начали Квартет;
Он всё-таки на лад нейдёт.
«Постойте ж, я сыскал секрет, —
Кричит Осёл, — мы, верно, уж поладим,
Коль рядом сядем».
Послушались Осла: уселись чинно в ряд;
А всё-таки Квартет нейдёт на лад.
Вот пуще прежнего пошли у них разборы
И споры,
Кому и как сидеть.
Случилось Соловью на шум их прилететь.
Тут с просьбой все к нему, чтоб их решить сомненье.
«Пожалуй, — говорят, — возьми на час терпенье,
Чтобы Квартет в порядок наш привесть:
И ноты есть у нас, и инструменты есть,
Скажи лишь, как нам сесть!» —
«Чтоб музыкантом быть, так надобно уменье
И уши ваших понежней, —
Им отвечает Соловей, —
А вы, друзья, как ни садитесь,
Всё в музыканты не годитесь».

---

[1] При́ма — первая скрипка в оркестре.
[2] Вто́ра — вторая скрипка.

1. Попробуйте найти в баснях, которые вы прочли, все те особенности, о которых говорил И.А. Крылов.
2. Какие человеческие пороки, то есть серьёзные недостатки, высмеивает баснописец?
3. Какие строчки из этих басен стали крылатыми выражениями? В каких жизненных ситуациях их можно использовать?
4. Прочитайте басни по ролям. Постарайтесь передать с помощью интонации особенности характеров героев. Попробуйте инсценировать басни.
5. Нарисуйте иллюстрации к басням.
6. Прочитайте самостоятельно другие басни И.А. Крылова. Выучите наизусть и попробуйте с друзьями инсценировать басни, которые вам понравились. У вас может получиться интересный урок-концерт.

ПУТЕШЕСТВИЕ ЧЕТВЁРТОЕ
1828 год. Имение Погорельцы.
Алексей Алексеевич Перовский рассказывает маленькому Алёше сказку

...Наши герои оглядывались по сторонам и пытались понять, где они находятся. Игорь искал глазами Кремль или другие признаки старой Москвы, но вместо этого видел аккуратные беленькие домики, окружённые садами. Зелень на деревьях была совсем свежей.

Николай Александрович, Игорь и Оля сидели на скамейке на берегу реки. К реке выходил старый парк, здесь он кончался. За рекой была деревня.

— А знаете, — сказала вдруг Оля, — мы прошлым летом отдыхали на Украине. Это место очень похоже на то, где мы были, правда, Игорь?

Игорь кивнул, а Николай Александрович сказал:

— Мы с вами на Украине, друзья мои. Если пойти по центральной аллее этого парка, она приведёт нас к дому, который принадлежит Алексею Алексеевичу Перовскому. А имение называется Погорельцы.

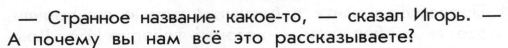

— Странное название какое-то, — сказал Игорь. — А почему вы нам всё это рассказываете?

— Потому что обещал вам новое путешествие и знакомство с первой литературной сказкой, которая была написана специально для детей. А вот и её автор...

Дети обернулись и увидели, что по аллее медленно идут мужчина и мальчик лет десяти. Скоро они подошли ближе и сели на соседнюю скамейку. Наши герои невольно услышали продолжение их разговора.

— Дядя, но что сказал тебе Александр Сергеевич? — нетерпеливо спрашивал мальчик.

— Мой милый, он отозвался о твоих стихотворных опытах весьма одобрительно. Похвала из уст такого поэта стоит многого, Алёша.

— Ах, дядя, я так счастлив!

— Я тоже, друг мой.

— Дядечка, а ты мне обещал рассказать дальше, помнишь? В пансионе начались каникулы, Алёша остался один, потом он спас курицу Чернушку от смерти — не дал кухарке её зарезать. А что было потом?

— Конечно помню. Сегодня я тебе расскажу, что случилось ночью. Так вот, слушай...

«Долго не мог Алёша заснуть в тот вечер. Наконец сон его преодолел, и он только что успел во

Помещичье имение на Украине

сне разговориться с Чернушкою, как, к сожалению, пробуждён был шумом разъезжающихся гостей.

Ночь была месячная, и сквозь ставни, неплотно затворявшиеся, упадал в комнату бледный луч луны...»

Здесь рассказчик прервал своё повествование и обратился к мальчику:

— Становится свежо, Алёша, нам лучше вернуться в дом. А по дороге я расскажу, что было дальше.

Оба встали и медленно пошли по аллее к дому. Когда совсем не стало слышно их голосов, Оля спросила:

— Что это за чудесная сказка? Я её не читала. А кто этот мальчик?

— А интересно, чем всё заканчивается в этой сказке? — это спросил, конечно, Игорь. Он любил сначала заглянуть в конец книжки, а потом читать её сначала.

— Давайте всё по порядку, сударь, — и Николай Александрович рассказал вот что:

— Человек, который был с мальчиком, — это Алексей Алексеевич Перовский, писатель. Наверное, вы слышали такое имя — Анто́ний Погоре́льский? Это псевдони́м Перовского, то есть вымышленное имя. Он взял его от названия усадьбы — Погорельцы.

— А зачем писателю вымышленное имя? — сразу спросил Игорь.

— Видите ли, не все писатели хотят ставить своё настоящее имя на обложке книги — кто из скромности, кто из опасения, что книга не будет иметь успеха, или потому, что собственная фамилия кажется не очень звучной, красивой. У каждого по-своему. Бывает и так, что псевдоним — как бы часть жизни писателя или отражение его личности. Я потом как-нибудь расскажу вам об этом. А пока вернёмся к Антонию Погорельскому.

Сказка, которую вы слышали, называется «Чёрная курица, или Подземные жители». Это волшебная повесть, которую писатель сочинил для своего племянника Алёши. Сначала он будет просто рассказывать мальчику эту сказку, потом запишет её, а в 1829 году сказка будет напечатана и очень понравится детям. Секрет её успеха в том, что и содержанием, и языком она была очень близка детям. А мальчика, для которого писатель сочинил эту сказку, вы видели. Алёша, любимый племянник и воспитанник Погорельского, когда вырастет, станет поэтом, писателем и драматургом. Он не будет брать псевдонима и на обложке книг поставит своё имя — Алексей Константинович Толстой... Александр Сергеевич, который похвалил его детские стихи, — это Пушкин. Он был знаком с Погорельским, бывал в его доме. Вот такое переплетение судеб...

— Николай Александрович, вы нам говорили, что писатели — это особенные люди, талантливые, и что всегда интересно узнавать про их жизнь... — сказала Оля.

— Да, сударыня, и ещё раз хочу это подтвердить. Известно, что Антоний Погорельский получил в детстве блестящее образование, которое позволило ему всего за два года и два месяца закончить Московский университет с учёной степенью доктора философии и словесных наук. Он участвовал в войне 1812 года, причём поступил в армию добровольно. А потом, все остальные годы, смыслом его жизни стали литературное творчество и воспитание племянника Алёши. Погорельский написал прекрасные книги и воспитал будущего писателя — подумайте, как это много!..

Ребята, предлагаем вам прочитать отрывок из сказки «Чёрная курица, или Подземные жители», тот самый, который услышали наши герои от самого автора. Мы думаем, он вам понравится и вам захочется прочитать целиком эту замечательную сказку, которую писатель назвал волшебной повестью для детей (тем более что заканчивается отрывок на очень интересном месте...).

Антоний Погорельский (1787—1836)

из книги
«ЧЁРНАЯ КУРИЦА, ИЛИ ПОДЗЕМНЫЕ ЖИТЕЛИ»

1

Ночь была месячная, и сквозь ставни, неплотно затворявшиеся, упадал в комнату бледный луч луны. Алёша лежал с открытыми глазами и долго слушал, как в верхнем жилье, над его головою, ходили по комнатам и приводили в порядок стулья и столы.

Наконец всё утихло... Он взглянул на стоявшую подле него кровать, немного освещённую месячным сиянием, и заметил, что белая простыня, висящая почти до полу, легко шевелилась. Он пристальнее стал всматриваться... ему послышалось, как будто что-то под кроватью царапается, — и немного погодя показалось, что кто-то тихим голосом зовёт его:

— Алёша, Алёша!

Алёша испугался... Он один был в комнате, и ему тотчас пришло на мысль, что под кроватью должен быть вор. Но потом, рассудив, что вор не называл бы его по имени, он несколько ободрился, хотя сердце в нём дрожало.

Он немного приподнялся в постели и ещё яснее увидел, что простыня шевелится... ещё внятнее услышал, что кто-то говорит:

— Алёша, Алёша!

Вдруг белая простыня приподнялась, и из-под неё вышла... чёрная курица!

— Ах! Это ты, Чернушка! — невольно вскричал Алёша. — Как ты зашла сюда?

Чернушка захлопала крыльями, взлетела к нему на кровать и сказала человеческим голосом:

— Это я, Алёша! Ты не боишься меня, не правда ли?

— Зачем я тебя буду бояться? — отвечал он. — Я тебя люблю; только для меня странно, что ты так хорошо говоришь: я совсем не знал, что ты говорить умеешь!

— Если ты меня не боишься, — продолжала курица, — так поди за мною. Одевайся скорее!

— Какая ты, Чернушка, смешная! — сказал Алёша. — Как мне можно одеться в темноте? Я платья своего теперь не сыщу; я и тебя насилу вижу!

— Постараюсь этому помочь, — сказала курочка.

Тут она закудахтала странным голосом, и вдруг откуда ни взялись маленькие свечки в серебряных шандалах[1], не больше как с Алёшин маленький пальчик. Шандалы эти очутились на полу, на стульях, на окнах, даже на рукомойнике, и в комнате сделалось так светло, так светло, как будто днём. Алёша начал одеваться, а курочка подавала ему платье, и таким образом он вскоре совсем был одет.

Когда Алёша был готов, Чернушка опять закудахтала, и все свечки исчезли.

---

[1] Шандал — подсвечник.

— Иди за мною! — сказала она ему.

И он смело последовал за нею. Из глаз её выходили как будто лучи, которые освещали всё вокруг них, хотя не так ярко, как маленькие свечки. Они прошли через переднюю…

— Дверь заперта ключом, — сказал Алёша.

Но курочка ему не отвечала: она хлопнула крыльями, и дверь сама собою отворилась… Потом, пройдя через сени, обратились они к комнатам, где жили столетние старушки голландки. Алёша никогда у них не бывал, но слыхал, что комнаты у них убраны по-старинному, что у одной из них большой серый попугай, а у другой серая кошка, очень умная, которая умеет прыгать через обруч и подавать лапку. Ему давно хотелось всё это видеть, и потому он очень обрадовался, когда курочка опять хлопнула крыльями и дверь в покои старушек отворилась.

Алёша в первой комнате увидел всякого рода старинную мебель: резные стулья, кресла, столы и комоды. Большая лежанка была из голландских изразцов, на которых нарисованы были синей муравой[1] люди и звери. Алёша хотел было остановиться, чтоб рассмотреть мебель, а особливо фигуры на лежанке, но Чернушка ему не позволила.

2

Они вошли во вторую комнату — и тут-то Алёша обрадовался! В прекрасной золотой клетке сидел большой серый попугай с красным хвостом. Алёша тотчас хотел подбежать к нему. Чернушка опять его не допустила.

---

1 Мурава́ — тонкий слой жидкого цветного стекла (глазурь), которым покрывают изразцы́ (глиняные плитки) и глиняную посуду.

— Не трогай здесь ничего, — сказала она. — Берегись разбудить старушек!

Тут только Алёша заметил, что подле попугая стояла кровать с белыми кисейными занавесками, сквозь которые он мог различить старушку, лежащую с закрытыми глазами: она показалась ему как будто восковая. В другом углу стояла такая же точно кровать, где спала другая старушка, а подле неё сидела серая кошка и умывалась передними лапами. Проходя мимо неё, Алёша не мог утерпеть, чтоб не попросить у ней лапки... Вдруг она громко замяукала, попугай нахохлился и начал громко кричать: «Дуррак! Дуррак!» В то самое время видно было сквозь кисейные занавески, что старушки приподнялись в постели. Чернушка поспешно удалилась. Алёша побежал за нею, дверь вслед за ними сильно захлопнулась... и ещё долго слышно было, как попугай кричал: «Дуррак! Дуррак!»

— Как тебе не стыдно! — сказала Чернушка, когда они удалились от комнат старушек. — Ты, верно, разбудил рыцарей...

— Каких рыцарей? — спросил Алёша.

— Ты увидишь, — отвечала курочка. — Не бойся, однако ж, ничего; иди за мною смело.

Они спустились вниз по лестнице, как будто в погреб, и долго-долго шли по разным переходам и коридорам, которых прежде Алёша никогда не видывал. Иногда коридоры эти так были низки и узки, что Алёша принуждён был нагибаться. Вдруг вошли они в залу[1], освещённую тремя большими хрустальными люстрами. Зала была без окошек, и по обеим сторонам висели на

---

[1] Зала — большая комната для приёма гостей.

стенах рыцари в блестящих латах, с большими перьями на шлемах, с копьями и щитами в железных руках.

Чернушка шла вперёд на цыпочках и Алёше велела следовать за собою тихонько-тихонько.

В конце залы была большая дверь из светлой жёлтой меди. Лишь только они подошли к ней, как соскочили со стен два рыцаря, ударили копьями об щиты и бросились на чёрную курицу.

Чернушка подняла хохол, распустила крылья... вдруг сделалась большая-большая, выше рыцарей, и начала с ними сражаться!

Рыцари сильно на неё наступали, а она защищалась крыльями и носом. Алёше сделалось страшно, сердце в нём сильно затрепетало, и он упал в обморок.

3

Когда пришёл он опять в себя, солнце сквозь ставни освещало комнату, и он лежал в своей постели: не видно было ни Чернушки, ни рыцарей. Алёша долго не мог опомниться. Он не понимал, что с ним было ночью: во сне ли он всё то видел или в самом деле это происходило? Он оделся и пошёл наверх, но у него не выходило из головы виденное им в прошлую ночь. С нетерпением ожидал он минуты, когда можно ему будет идти играть на двор, но весь тот день, как нарочно, шёл сильный снег, и нельзя было и подумать, чтоб выйти из дому.

За обедом учительша между прочими разговорами объявила мужу, что чёрная курица непонятно куда спряталась.

— Впрочем, — прибавила она, — беда невелика, если бы она и пропала: она давно назначена была на кухню. Вообрази себе, душенька, что с тех пор, как она у нас в доме, она не снесла ни одного яичка.

Алёша чуть-чуть не заплакал, хотя и пришло ему на мысль, что лучше, чтоб её нигде не находили, нежели чтоб попала она на кухню.

Настало время ложиться спать, и Алёша с нетерпением разделся и лёг в постель. Не успел он взглянуть на соседнюю кровать, опять освещённую тихим лунным сиянием, как зашевелилась белая простыня — точно так, как накануне... Опять послышался ему голос, его зовущий: «Алёша, Алёша!» — и немного погодя вышла из-под кровати Чернушка и взлетела к нему на постель.

— Ах! Здравствуй, Чернушка! — вскричал он вне себя от радости. — Я боялся, что никогда тебя не увижу. Здорова ли ты?

— Здорова, — отвечала курочка, — но чуть было не занемогла по твоей милости.

— Как это, Чернушка? — спросил Алёша, испугавшись.

— Ты добрый мальчик, — продолжала курочка, — но при том ты ветрен и никогда не слушаешься с первого слова, а это нехорошо! Вчера я говорила тебе, чтоб ты ничего не трогал в комнатах старушек, — несмотря на то, ты не мог утерпеть, чтоб не попросить у кошки лапку. Кошка разбудила попугая, попугай старушек, старушки рыцарей — и я насилу с ними сладила!

— Виноват, любезная Чернушка, вперёд не буду! Пожалуйста, поведи меня сегодня опять туда. Ты увидишь, что я буду послушен.

— Хорошо, — сказала курочка, — увидим!

Курочка закудахтала, как накануне, и те же маленькие свечки явились в тех же серебряных шандалах. Алёша опять оделся и пошёл за курицею. Опять вошли они в покои старушек, но в этот раз он уж ни до чего не дотрагивался.

<...>

Опять спустились они с лестницы, ходили по переходам и коридорам и пришли в ту же залу, освещённую тремя хрустальными люстрами. Те же рыцари висели на стенах, и опять — когда приблизились они к двери из жёлтой меди — два рыцаря сошли со стены и заступили им дорогу. Казалось, однако, что они не так сердиты были, как накануне; они едва тащили ноги, как осенние мухи, и видно было, что они через силу держали свои копья...

Чернушка сделалась большая и нахохлилась. Но только что ударила их крыльями, как они рассыпались на части, и Алёша увидел, что то были пустые латы! Медная дверь сама собою отворилась, и они пошли далее.

Немного погодя вошли они в другую залу, пространную, но невысокую, так что Алёша мог достать рукою до потолка. Зала эта освещена была такими же маленькими свечками, какие он видел в своей комнате, но шандалы были не серебряные, а золотые.

Тут Чернушка оставила Алёшу.

— Побудь здесь немного, — сказала она ему, — я скоро приду назад.

4

Оставшись один, Алёша со вниманием стал рассматривать залу, которая очень богато была убрана,.. но странным показалось ему, что всё было в самом маленьком виде, как будто для небольших кукол.

Между тем как он с любопытством всё рассматривал, отворилась боковая дверь, прежде им не замеченная, и вошло множество маленьких людей, ростом не более как с пол-аршина[1], в нарядных разноцветных платьях. Вид их был важен: иные по одеянию казались военными, другие — гражданскими чиновниками. На всех

---

[1]Аршин – русская мера длины – около 70 сантиметров.

были круглые с перьями шляпы наподобие испанских. Они не замечали Алёши, прохаживались чинно по комнатам и громко между собою говорили, но он не мог понять, о чём.

Долго смотрел он на них молча и только что хотел подойти к одному из них с вопросом, как отворилась большая дверь в конце залы... Все замолкли, стали к стенам в два ряда и сняли шляпы.

В одно мгновение комната сделалась ещё светлее, все маленькие свечки ещё ярче загорелись, и Алёша увидел двадцать маленьких рыцарей в золотых латах, с пунцовыми на шлемах перьями, которые попарно входили тихим маршем. Потом в глубоком молчании стали они по обеим сторонам кресел. Немного погодя вошёл в залу человек с величественною осанкою, с венцом на голове, блестящим драгоценными камнями. На нём была светло-зелёная мантия[1], подбитая мышьим мехом, с длинным шлейфом[2], который несли двадцать маленьких пажей[3] в пунцовых платьях.

Алёша тотчас догадался, что это должен быть король. Он низко ему поклонился. Король отвечал на поклон его весьма ласково и сел в золо-

---

[1] Мантия — широкая длинная одежда в виде плаща, надеваемая поверх другого платья.

[2] Шлейф — длинный, волочащийся сзади подол платья.

[3] Паж — мальчик из дворян, состоявший при знатной особе, монархе или короле.

тые кресла. Потом что-то приказал одному из стоявших подле него рыцарей, который, подойдя к Алёше, объявил ему, чтоб он приблизился к креслам. Алёша повиновался.

— Мне давно было известно, — сказал король, — что ты добрый мальчик; но третьего дня ты оказал великую услугу моему народу и за то заслуживаешь награду. Мой главный министр донёс мне, что ты спас его от неизбежной и жестокой смерти.

— Когда? — спросил Алёша с удивлением.

— Третьего дня на дворе, — отвечал король. — Вот тот, который обязан тебе жизнью.

Алёша взглянул на того, на которого указывал король, и тут только заметил, что между придворными стоял маленький человек, одетый весь в чёрное. На голове у него была особенного рода шапка малинового цвета, наверху с зубчиками, надетая немного набок; а на шее белый платок, очень накрахмаленный, отчего казался он немного синеватым. Он умильно улыбался, глядя на Алёшу, которому лицо его показалось знакомым, хотя не мог он вспомнить, где его видал.

Сколь для Алёши ни было лестно, что приписывали ему такой благородный поступок, но он любил правду и потому, сделав низкий поклон, сказал:

— Господин король! Я не могу принять на свой счёт того, чего никогда не делал. Третьего дня я имел счастье избавить от смерти не министра вашего, а чёрную нашу курицу, которую не любила кухарка за то, что не снесла она ни одного яйца...

— Что ты говоришь? — прервал его с гневом король. — Мой министр — не курица, а заслуженный чиновник!

Тут подошёл министр ближе, и Алёша увидел, что в самом деле это была его любезная Чернушка. Он очень обрадовался и попросил у ко-

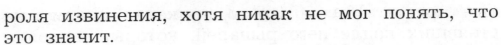

роля извинения, хотя никак не мог понять, что это значит.

— Скажи мне, чего ты желаешь? — продолжал король. — Если я в силах, то непременно исполню твоё требование.

— Говори смело, Алёша! — шепнул ему на ухо министр.

Алёша задумался и не знал, чего пожелать. Если б дали ему более времени, то он, может быть, и придумал бы что-нибудь хорошенькое; но так как ему казалось неучтивым заставить дожидаться короля, то он поспешил с ответом.

— Я бы желал, — сказал он, — чтобы, не учившись, я всегда знал урок свой, какой бы мне ни задали.

— Не думал я, что ты такой ленивец, — отвечал король, покачав головою. — Но делать нечего: я должен исполнить своё обещание.

Он махнул рукою, и паж поднёс золотое блюдо, на котором лежало одно конопляное семечко.

— Возьми это семечко, — сказал король. — Пока оно будет у тебя, ты всегда знать будешь урок свой, какой бы тебе ни задали, с тем, однако, условием, чтоб ты ни под каким предлогом никому не сказывал ни одного слова о том, что ты здесь видел или впредь увидишь. Малейшая нескромность лишит тебя навсегда наших милостей, а нам наделает множество хлопот и неприятностей.

Алёша взял конопляное зерно, завернул в бумажку и положил в карман.

Лишь только король удалился, как окружили Алёшу все придворные и начали его всячески ласкать, изъявляя признательность свою за то, что он спас министра. Они все предлагали ему свои услуги: одни спрашивали, не хочет ли он погулять в саду или посмотреть королевский зверинец; другие приглашали его на охоту. Алёша не знал, на что решиться. Наконец министр объявил, что сам будет показывать подземные редкости дорогому гостю.

5

Сначала повёл он его в сад. Дорожки усеяны были крупными разноцветными камешками, отражавшими свет от бесчисленных маленьких ламп, которыми увешаны были деревья. Этот блеск чрезвычайно понравился Алёше.

— Камни эти, — сказал министр, — у вас называются драгоценными. Это всё брильянты, яхонты, изумруды и аметисты.

— Ах, когда бы у нас этим усыпаны были дорожки! — вскричал Алёша.

— Тогда и у вас бы они так же были малоценны, как здесь, — отвечал министр.

Деревья также показались Алёше отменно красивыми, хотя при том очень странными. Они были разного цвета: красные, зелёные, коричневые, белые, голубые и лиловые. Когда посмотрел он на них со вниманием, то увидел, что это не что иное, как разного рода мох, только выше и толще обыкновенного. Министр рассказал ему, что мох этот выписан королём за большие деньги из дальних стран и из самой глубины земного шара.

Из сада пошли они в зверинец. Там показали Алёше диких зверей, которые привязаны были на золотых цепях. Всматриваясь внимательнее, он, к удивлению своему, увидел, что дикие эти звери были не что иное, как большие крысы, кроты, хорьки и подобные им звери, живущие в земле и под полами. Ему это очень показалось смешно; но он из учтивости[1] не сказал ни слова.

Возвратившись в комнаты после прогулки, Алёша в большой зале нашёл накрытый стол,

---

[1] Учтивость — почтительная вежливость.

на котором расставлены были разного рода конфеты, пироги, паштеты и фрукты. Блюда все были из чистого золота, а бутылки и стаканы, выточенные из цельных брильянтов, яхонтов и изумрудов.

— Кушай что угодно, — сказал министр, — с собою же брать ничего не позволяется.

Алёша в тот день очень хорошо поужинал, и потому ему вовсе не хотелось кушать...

***

— Да расскажи мне, пожалуйста, кто вы таковы? — спросил Алёша.

— Неужели ты никогда не слыхал, что под землёю живёт народ наш? — отвечал министр. — Правда, не многим удаётся нас видеть, однако бывали примеры, особливо в старину, что мы выходили на свет и показывались людям. Теперь это редко случается, потому что люди сделались очень нескромны. А у нас существует закон, что если тот, кому мы показались, не сохранит этого в тайне, то мы принуждены бываем немедленно оставить местопребывание наше и идти далеко-далеко, в другие страны. Ты легко представить себе можешь, что королю нашему невесело было бы оставить все здешние заведения и с целым народом переселиться в неизвестные земли. И потому убедительно тебя прошу быть как можно скромнее. В противном случае ты нас всех сделаешь несчастными, а особливо меня. Из благодарности я упросил короля призвать тебя сюда; но он никогда мне не простит, если по твоей нескромности мы принуждены будем оставить этот край...

— Я даю тебе честное слово, что никогда не буду ни с кем об вас говорить, — прервал его Алёша. — Но объясни мне, любезная Чернушка, отчего ты, будучи министром, являешься в свет в виде курицы и какую связь имеете вы со старушками голландками?

Чернушка, желая удовлетворить его любопытство, начала было рассказывать ему подробно о многом, но при самом начале её рассказа глаза Алёшины закрылись, и он крепко заснул. Проснувшись на другое утро, он лежал в своей постели.

6

Долго Алёша не мог опомниться и не знал, что ему думать. Чернушка и министр, король и рыцари, голландки и крысы — всё это смешалось в его голове, и он насилу мысленно привёл в порядок всё виденное им в прошлую ночь. Вспомнив, что король ему подарил конопляное семя, он поспешно бросился к своему платью и действительно нашёл в кармане бумажку, в которой завёрнуто было конопляное семечко. «Увидим, — подумал он, — сдержит ли слово своё король! Завтра начнутся классы, а я ещё не успел выучить всех своих уроков».

Исторический урок особенно его беспокоил: ему задано было выучить наизусть несколько страниц из всемирной истории, а он не знал ещё ни одного слова!

Настал понедельник, съехались пансионе́ры, и начались уроки. От десяти часов до двенадцати преподавал историю сам содержатель пансиона.

У Алёши сильно билось сердце... Пока дошла до него очередь, он несколько раз ощупывал лежащую в кармане бумажку с конопляным семечком... Наконец его вызвали. С трепетом подошёл он к учителю, открыл рот, сам ещё не зная, что сказать, и безошибочно, не останавливаясь, проговорил заданное. Учитель очень его хвалил; однако Алёша не принимал его хвалу с тем удовольствием, которое прежде чувствовал он в подобных случаях. Внутренний голос ему говорил, что он не заслуживает этой похвалы, потому что урок этот не стоил ему никакого труда.

В продолжение нескольких недель учителя не могли нахвалиться Алёшею. Все уроки без исключения знал он совершенно, все переводы с одного языка на другой были без ошибок, так что не могли надивиться чрезвычайным его успехам. Алёша внутренне стыдился этих похвал: ему совестно было, что ставили его в пример товарищам, тогда как он вовсе того не заслуживал...

В течение этого времени Чернушка к нему не являлась, несмотря на то что Алёша, особливо в первые недели после получения конопляного семечка, не пропускал почти ни одного дня без того, чтобы её не звать, когда ложился спать. Сначала он очень о том горевал, но потом успокоился мыслью, что она, вероятно, занята важными делами по своему званию. Впоследствии же похвалы, которыми все его осыпали, так его заняли, что он довольно редко о ней вспоминал.

Между тем слух о необыкновенных его способностях разнёсся вскоре по целому Петербургу. Сам директор училищ приезжал несколько раз в пансион и любовался Алёшею. Учитель носил его на руках, ибо чрез него пансион вошёл в славу. Со всех концов города съезжались родители и приставали к нему, чтоб он детей их принял к себе, в надежде, что и они такие же будут учёные, как Алёша.

Алёша, как сказал я уже выше, сначала стыдился похвал, чувствуя, что вовсе их не заслуживает, но мало-помалу он стал к ним привыкать, и наконец самолюбие его дошло до того, что он принимал, не краснея, похвалы, которыми его осыпали. Он много стал о себе думать, важничал перед другими мальчиками и вообразил, что он гораздо лучше и умнее всех их...

1829

1. Расскажите, что необычного, сказочного увидел Алёша, когда был в гостях у подземных жителей.

2. Озаглавьте части, постарайтесь подобрать необычные, загадочные заголовки так, чтобы они передавали атмосферу сказки. Но не забудьте при этом, что заголовок должен отражать тему, то есть то, о чём говорится в тексте.

3. Писатель определил жанр «Чёрной курицы...» сам, назвав её волшебной повестью для детей. Что в ней есть от волшебной сказки, какие сказочные приметы? Почему это повесть? (На этот вопрос легче ответить, если вы прочтёте книгу целиком.) Можно ли назвать эту повесть фантастической? Почему?

4. Что вы можете сказать о характере Алёши?

ПУТЕШЕСТВИЕ ПЯТОЕ

Лето 1831 года. Бал в Царском Селе.
Поэтическое состязание Пушкина и Жуковского.
Сказки и сказочники. Исторические рассказы
Александры Ишимовой

В Москве стоит зима, тёплая и сырая. Снег не успевает сделать Остоженку белой и чистой, тает, превращается в коричневую слякоть. Наши близнецы ходят в школу, дожидаются своих любимых зимних каникул и мечтают отправиться в путешествие на машине времени куда-нибудь, где теплее.

Однажды вечером к Николаю Александровичу зашёл его старый приятель, театральный актёр. Он принёс объёмистую сумку и, когда они с Николаем Александровичем шли по коридору, близнецы услышали, как гость сказал: «Только мне в костюмерной всё это дали на два дня, не больше. Фрак будет нужен в субботу...»

Брат и сестра еле-еле дождались, пока гость профессора распрощался и ушёл. Не прошло и трёх секунд после его ухода, как дети уже стояли «на посту» у двери Николая Александровича.

— Войдите! — пригласил тот, услышав стук в дверь.

Игорь и Оля толкнули дверь и увидели профессора. Он был одет в чёрный парадный костюм с длинными фалдами[1], в белоснежную рубашку со стоячим воротником и выглядел торжественно.

— Кажется, этот фрак мне к лицу, друзья мои? — заговорил он весело. — А костюмы вон там на стуле для вас, примеряйте! Нам предстоит отправиться в Царское Село. Это недалеко от Петербурга. Мы должны попасть в лето 1831 года, потому что именно летом 1831 года в Царском Селе на даче жили Александр Сергеевич Пушкин и Николай Васильевич Гоголь, а в гостях у них часто бывал Василий Андреевич Жуковский. Мы с вами

---

[1] Фалды — задние полы мужской одежды (сюртука, фрака, мундира).

должны попасть в тот вечер, когда три писателя были приглашены на бал.

...В беседке, где оказались наши герои после благополучного полёта во времени, было темно. Стоял тёплый июльский вечер. Из беседки была видна широкая аллея, ярко освещённая свечами в стеклянных фонарях.

— Смотрите, друзья мои! — Николай Александрович первый увидел, как из подъехавшего экипажа вышли трое гостей. Очевидно, их ждали, потому что присутствующие сразу стали подходить к ним со всех сторон. Мужчины раскланивались, дамы восхищённо смотрели на приехавших.

Мимо беседки прошли два молодых человека, и до наших друзей донеслись обрывки их разговора:

— Ах, вот тот господин средних лет с тростью? Это господин Жуковский, воспитатель наследника престола, поэт.

— Рядом с ним — я знаю — это Александр Пушкин, известный сочинитель, а господин с ними?

— Это Николай Гоголь, автор рассказов...

Тем временем Пушкина, Гоголя и Жуковского окружили гости, завязалась оживлённая беседа. Николай Александрович и близнецы незаметно присоединились к гостям, но встали подальше от фонарей, чтобы, оставаясь незамеченными, можно было всё слышать.

Н.В. Гоголь, В.А. Жуковский и А.С. Пушкин в Царском Селе летом 1831 года. Картина П. Геллера

— А правда ли, господин Жуковский, что вы обратились к низкому жанру? Мы весьма разочарованы. Сказка — это для простолюдинов...

— Позвольте возразить вам, — мягко заговорил Жуковский. — В сказках видна и душа народа русского, и мудрость. Они — богатство наше, и надобно детям читать побольше сказок. Вот что занимает меня сейчас: мне хочется собрать несколько сказок, больших и малых, народных, но не одних русских, чтобы их после выдать, посвятив детям. А нынче летом мы с господином Пушкиным устроили поэтическое состязание: сочиняем стихотворные сказки на народные сюжеты. Если бы мне удалось написать сказку для детей, польза которой будет в её привлекательности, а не в тех нравственных правилах, которые только останутся в памяти, но редко доходят до сердца... Судил нас строго Николай Васильевич, — Жуковский повернулся к Гоголю. — Его и следует спрашивать.

— Чудно́е дело! — отозвался Гоголь. — Жуковского узнать нельзя. Кажется, появился новый поэт, и уже чисто русский. «Спящая царевна» Василия Андреевича изящна и хороша, стихи плавны и звучны.

— А вы, господин Пушкин, тоже теперь сочиняете сказки для детей? — спросил кто-то из гостей.

— По́лноте, что вы! — отозвался молчавший до этого Пушкин. — Василий Андреевич наш — воспитатель и педагог, ему душа детская известна более всех нас. Я же не могу разделять своих читателей по возрасту, потому что хотел бы понятным и доступным быть для всех. «Я хочу, чтоб меня поняли все от мала до великого», — медленно прочитал поэт.

— Николай Александрович, — зашептала Оля, — это чьи стихи сейчас он прочитал?

— Свои, сударыня, — тоже шёпотом ответил профессор. — Это из ранней сказки «Бова́». Пушкин её ещё в Лицее писал, тогда ему было 15...

Между тем в разговор снова вступил Гоголь.

— Знаете ли, господа, — задумчиво произнёс он. — Я полагаю, Александр Сергеевич никогда не подставляет лестницы ни для кого из тех, которые глухи к поэзии. Одни способны понять поэта, другие, увы, нет, и причина не в возрасте, а в душевном развитии человека.

Беседа принимала серьёзный тон, и Пушкин постарался вернуть её в более лёгкое русло.

— А впрочем, господа, — весело проговорил он, — не принимайте наше

В.А. Жуковский

поэтическое состязание в жанре литературной сказки столь серьёзно. Нам ещё учиться надобно у народных сказок. Советую вам почитать Казака Луганского, это псевдоним господина Даля. Он народные русские сказки записывает и обрабатывает для детского чтения, и сам сочиняет, так в народных сказках этих — бездна поэзии!.. А что до детских книг — это вам госпожу Ишимову почитать стоит.

А.С. Пушкин

Н.В. Гоголь

Внезапно небо осветила яркая вспышка: это был фейерверк, сюрприз, приготовленный хозяевами. Николаю Александровичу едва удалось увести детей с ярко освещённой площадки. Пора было возвращаться.

...За окном всё так же шёл мокрый снег, тускло светили электрические фонари, и детям уже не верилось, что несколько минут назад они были в летнем Царскосельском саду.

Хотя близнецы изо всех сил старались не пропустить ни одного слова, они многое не поняли. Теперь Николаю Александровичу предстояло ответить на их настойчивые вопросы: о каком поэтическом состязании говорил Пушкин и кто в нём победил? Кто такой господин Даль и что это у него за псевдоним? Неужели Пушкин ничего не писал специально для детей? А какие ещё сказки написал Жуковский? А Гоголь тоже сочинял сказки? А госпожа Ишимова?

— Мы с вами были в Царском Селе летом 1831 года, — начал профессор. — Время это я выбрал не случайно. Пушкин и Гоголь жили тогда в Царском Селе на даче, там же часто бывал и Жуковский. Именно тогда он впервые обратился к жанру сказки. А состязание двух поэтов заключалось в том, что тогда, летом 1831 года, оба они сочиняли сказки в стихах на народные сюжеты, а Гоголь был первым читателем их сказок. Сам Николай Васильевич Гоголь сказки не сочинял, но у него повести со сказочным элементом — «Вий», «Ночь перед Рождеством» и другие... Так вот, в то лето Пушкин написал «Сказку о царе Салтане...», а Жуковский — «Спящую царевну» и «Сказку о царе Берендее». Обе сказки Жуковского предназначались для детей. Пушкин же действительно никогда специально для детей ничего не сочинял. Все его произведения, в том числе и сказки, можно читать в любом возрасте. Просто для каждого возраста есть как бы свой уровень понимания, своя глубина, нужно только, чтобы читатель был одарён поэтическим чутьём.

Вы спрашивали, кто победил в этом состязании двух поэтов. Думаю, я не смогу ответить на этот вопрос, скажу только, что благодаря ему литература наша обогатилась прекрасными авторскими сказками.

Ещё вы спрашивали о Дале. Это имя Пушкин упомянул в разговоре не случайно. Владимир Иванович Даль — учёный, прекрасный знаток русского языка, фольклора. Он собирал сказки, песенки, поговорки, записывал их, обрабатывал специально для детского чтения. Язык сказок Даль изучал, составляя свой знаменитый «Словарь живого великорусского языка». Что же касается псевдонима Даля, то им он пользовался, когда выпускал свои первые книжки. А взят псевдоним от названия города Луганска, где родился будущий писатель.

И последний ваш вопрос был о писательнице Ишимовой. Александра Осиповна Ишимова написала для детей пятнадцать книг, издавала первые в России специальные журналы для девочек — «Звёздочка» и «Лучи». Особенно нравилась детям книга Ишимовой «История России в рассказах для детей», которая издавалась частями с 1837-го по 1840-й год.

Царское Село

Александр Пушкин (1799—1837)

СКАЗКА О ЦАРЕ САЛТАНЕ, О СЫНЕ ЕГО СЛАВНОМ И МОГУЧЕМ БОГАТЫРЕ КНЯЗЕ ГВИДОНЕ САЛТАНОВИЧЕ И О ПРЕКРАСНОЙ ЦАРЕВНЕ ЛЕБЕДИ

Три девицы под окном
Пряли поздно вечерком.
«Кабы я была царица, —
Говорит одна девица, —
То на весь крещёный мир
Приготовила б я пир».
«Кабы я была царица, —
Говорит её сестрица, —
То на весь бы мир одна
Наткала я полотна».
«Кабы я была царица, —
Третья молвила сестрица, —
Я   б для батюшки-царя
Родила богатыря».

Только вымолвить успела,
Дверь тихонько заскрипела,

И в светлицу входит царь,
Стороны той государь.
Во всё время разговора
Он стоял позадь забора;
Речь последней по всему
Полюбилася ему.
«Здравствуй, красная девица, —
Говорит он, — будь царица
И роди богатыря
Мне к исходу сентября.
Вы ж, голубушки-сестрицы,
Выбирайтесь из светлицы,
Поезжайте вслед за мной,
Вслед за мной и за сестрой:
Будь одна из вас ткачиха,
А другая повариха».

В сени вышел царь-отец.
Все пустились во дворец.
Царь недолго собирался:
В тот же вечер обвенчался.
Царь Салтан за пир честной
Сел с царицей молодой;
А потом честны́е гости
На кровать слоновой кости
Положили молодых
И оставили одних.
В кухне злится повариха,
Плачет у станка ткачиха,
И завидуют оне́
Государевой жене.
А царица молодая,
Дела вдаль не отлагая,
С первой ночи понесла.

В те поры война была.
Царь Салтан, с женой простяся,
На добра коня садяся,
Ей наказывал себя
Поберечь, его любя.

Между тем, как он далёко
Бьётся долго и жестоко,
Наступает срок родин;
Сына Бог им дал в аршин,
И царица над ребёнком,
Как орлица над орлёнком;
Шлёт с письмом она гонца,
Чтоб обрадовать отца.
А ткачиха с поварихой,
С сватьей бабой Бабарихой
Известь её хотят,
Перенять гонца велят;
Сами шлют гонца другого
Вот с чем от слова до слова:
«Родила́ царица в ночь
Не то сына, не то дочь;
Не мышонка, не лягушку,
А неведому зверюшку».

Как услышал царь-отец,
Что донёс ему гонец,
В гневе начал он чудесить
И гонца хотел повесить;
Но, смягчившись на сей раз,
Дал гонцу такой приказ:
«Ждать царёва возвращенья
Для законного решенья».

Едет с грамотой гонец
И приехал наконец.
А ткачиха с поварихой,
С сватьей бабой Бабарихой
Обобрать его велят;
Допьяна гонца поят
И в суму его пустую
Суют грамоту другую —
И привёз гонец хмельной
В тот же день приказ такой:
«Царь велит своим боярам,
Времени не тратя даром,
И царицу и приплод

Тайно бросить в бездну вод».
Делать нечего: бояре,
Потужив о государе
И царице молодой,
В спальню к ней пришли толпой.
Объявили царску волю —
Ей и сыну злую долю,
Прочитали вслух указ
И царицу в тот же час
В бочку с сыном посадили,
Засмолили, покатили
И пустили в Окиян —
Так велел-де царь Салтан.

В синем небе звёзды блещут,
В синем море волны хлещут;
Туча по небу идёт,
Бочка по морю плывёт.
Словно горькая вдовица,
Плачет, бьётся в ней царица;
И растёт ребёнок там
Не по дням, а по часам.
День прошёл, царица во́пит...
А дитя волну торопит:
«Ты, волна моя, волна!
Ты гульлива и вольна;
Плещешь ты, куда захочешь,
Ты морские камни точишь,
Топишь берег ты земли,
Подымаешь корабли —
Не губи ты нашу душу:
Выплесни ты нас на сушу!»
И послушалась волна:
Тут же на берег она
Бочку вынесла легонько
И отхлынула тихонько.
Мать с младенцем спасена;
Землю чувствует она.
Но из бочки кто их вынет?
Бог неужто их покинет?

Сын на ножки поднялся́,
В дно головкой уперся́,
Понатужился немножко:
«Как бы здесь на двор окошко
Нам проделать?» — молвил он,
Вышиб дно и вышел вон.

Мать и сын теперь на воле;
Видят холм в широком поле;
Море синее кругом,
Дуб зелёный над холмом.
Сын подумал: добрый ужин
Был бы нам, однако, нужен.
Ломит он у дуба сук
И тугой сгибает лук,
Со креста снурок шелко́вый
Натянул на лук дубовый,
Тонку тросточку сломил,
Стрелкой лёгкой завострил
И пошёл на край долины
У моря искать дичины.

К морю лишь подходит он,
Вот и слышит будто стон...
Видно, на́ море не тихо;
Смотрит — видит дело лихо:
Бьётся лебедь средь зыбей,
Коршун носится над ней;
Та бедняжка так и плещет,
Воду вкруг мутит и хлещет...
Тот уж когти распустил,
Клюв кровавый навострил...
Но как раз стрела запела —
В шею коршуна задела —
Коршун в море кровь пролил,
Лук царевич опустил;
Смотрит: коршн в море тонет
И не птичьим криком тонет,
Лебедь около плывёт,
Злого коршуна клюёт,

Гибель близкую торопит,
Бьёт крылом и в море топит —
И царевичу потом
Молвит русским языком:
«Ты, царевич, мой спаситель,
Мой могучий избавитель,
Не тужи, что за меня
Есть не будешь ты три дня,
Что стрела пропала в море;
Это горе — всё не горе.
Отплачу тебе добром,
Сослужу тебе потом:
Ты не лебедь ведь избавил,
Девицу в живых оставил;
Ты не коршуна убил,
Чародея подстрелил.
Ввек тебя я не забуду:
Ты найдёшь меня повсюду,
А теперь ты воротись,
Не горюй и спать ложись».

Улетела лебедь-птица,
А царевич и царица,
Целый день проведши так,
Лечь решились натощак.
Вот открыл царевич очи;
Отрясая грёзы ночи
И дивясь, перед собой
Видит город он большой,
Стены с частыми зубцами,
И за белыми стенами
Блещут маковки церквей
И святых монастырей.
Он скорей царицу будит;
Та как ахнет!.. «То ли будет? —
Говорит он, — вижу я:
Лебедь тешится моя».
Мать и сын идут ко граду.
Лишь ступили за ограду,
Оглушительный трезвон

Поднялся со всех сторон:
К ним народ навстречу валит,
Хор церковный Бога хвалит;
В колымагах золотых
Пышный двор встречает их;
Все их громко величают,
И царевича венчают
Княжей шапкой, и главой
Возглашают над собой;
И среди своей столицы,
С разрешения царицы,
В тот же день стал княжить он
И нарёкся: князь Гвидон.

Ветер на́ море гуляет
И кораблик подгоняет;
Он бежит себе в волнах
На раздутых парусах.
Корабельщики дивятся,
На кораблике толпятся,
На знакомом острову́
Чудо видят наяву:
Город новый златоглавый,
Пристань с крепкою заставой —
Пушки с пристани палят,
Кораблю пристать велят.
Пристают к заставе гости;
Князь Гвидон зовёт их в гости,
Их он кормит и поит,
И ответ держать велит:
«Чем вы, гости, торг ведёте
И куда теперь плывёте?»
Корабельщики в ответ:
«Мы объехали весь свет,
Торговали соболями,
Чернобурыми лисами;
А теперь нам вышел срок,
Едем прямо на восток,
Мимо острова Буяна,
В царство славного Салтана...»

Князь им вымолвил тогда:
«Добрый путь вам, господа,
По морю по Окияну
К славному царю Салтану;
От меня ему поклон».
Гости в путь, а князь Гвидон
С берега душой печальной
Провожает бег их дальный;
Глядь — поверх текучих вод
Лебедь белая плывёт.
«Здравствуй, князь ты мой прекрасный!
Что ты тих, как день ненастный?
Опечалился чему?» —
Говорит она ему.
Князь печально отвечает:
«Грусть-тоска меня съедает,
Одолела молодца:
Видеть я б хотел отца».
Лебедь князю: «Вот в чём горе!
Ну послушай: хочешь в море
Полететь за кораблём?
Будь же, князь, ты комаром».
И крыла́ми замахала,
Воду с шумом расплескала
И обрызгала его
С головы до ног всего.
Тут он в точку уменьши́лся,
Комаром оборотился,
Полетел и запищал,
Судно на́ море догнал,
Потихоньку опустился
На корабль — и в щель забился.

Ветер весело шумит,
Судно весело бежит
Мимо острова Буяна,
К царству славного Салтана,
И желанная страна
Вот уж издали видна́.

Вот на берег вышли гости;
Царь Салтан зовёт их в гости,
И за ними во дворец
Полетел наш удалец.
Видит: весь сияя в злате,
Царь Салтан сидит в палате
На престоле и в венце,
С грустной думой на лице;
А ткачиха с поварихой,
С сватьей бабой Бабарихой
Около царя сидят
И в глаза ему глядят.
Царь Салтан гостей сажает
За свой стол и вопрошает:
«Ой вы, гости-господа,
Долго ль ездили? куда?
Ладно ль за́ морем иль худо?
И какое в свете чудо?»
Корабельщики в ответ:
«Мы объехали весь свет;
За́ морем житьё не худо,
В свете ж вот какое чудо:
В море остров был крутой,
Не привальный, не жилой;
Он лежал пустой равниной;
Рос на нём дубок единый;
А теперь стоит на нём
Новый город со дворцом,
С златоглавыми церквами,
С теремами и садами,
А сидит в нём князь Гвидон;
Он прислал тебе поклон».
Царь Салтан дивится чуду;
Молвит он: «Коль жив я буду,
Чудный остров навещу,
У Гвидона погощу».
А ткачиха с поварихой,
С сватьей бабой Бабарихой
Не хотят его пустить

Чудный остров навестить.
«Уж диковинка, ну право, —
Подмигнув другим лукаво,
Повариха говорит, —
Город у́ моря стоит!
Знайте, вот что не безделка:
Ель в лесу, под елью белка,
Белка песенки поёт
И орешки всё грызёт,
А орешки не простые,
Всё скорлупки золотые,
Ядра — чистый изумруд;
Вот что чудом-то зовут».
Чуду царь Салтан дивится,
А комар-то злится, злится —
И впился́ комар как раз
Тётке прямо в правый глаз.
Повариха побледнела,
Обмерла и окривела.
Слуги, сва́тья и сестра
С криком ловят комара.
«Распроклятая ты мошка!
Мы тебя!..» А он в окошко
Да спокойно в свой удел
Через море полетел.

Снова князь у моря ходит,
С синя моря глаз не сводит;
Глядь — поверх текучих вод
Лебедь белая плывёт.
«Здравствуй, князь ты мой прекрасный!
Что ж ты тих, как день ненастный?
Опечалился чему?» —
Говорит она ему.
Князь Гвидон ей отвечает:
«Грусть-тоска меня съедает;
Чудо чудное завесть
Мне б хотелось. Где-то есть
Ель в лесу, под елью белка;
Диво, право, не безделка —

Белка песенки поёт
Да орешки всё грызёт,
А орешки не простые,
Всё скорлупки золотые,
Ядра — чистый изумруд;
Но, быть может, люди врут».
Князю лебедь отвечает:
«Свет о белке правду ба́ет[1];
Это чудо знаю я;
Полно, князь, душа моя,
Не печалься; рада службу
Оказать тебе я в дружбу».
С ободрённою душой
Князь пошёл себе домой;
Лишь ступил на двор широкий —
Что ж? — под ёлкою высокой,
Видит, белочка при всех
Золотой грызёт орех,
Изумрудец вынимает,
А скорлупку собирает,
Кучки равные кладёт
И с присвисточкой поёт
При честно́м при всём народе:
Во саду ли, в огороде.
Изумился князь Гвидон.
«Ну спасибо, — молвил он, —
Ай да лебедь — дай ей Боже,
Что и мне, веселье то же».
Князь для белочки потом
Выстроил хрустальный дом,
Караул к нему приставил
И притом дьяка́ заставил
Строгий счёт орехам весть.
Князю прибыль, белке честь.

Ветер по морю гуляет
И кораблик подгоняет;
Он бежит себе в волнах
На подня́тых парусах
Мимо острова крутого,

---

[1] Ба́ет — здесь: говорит.

Мимо города большого:
Пушки с пристани палят,
Кораблю пристать велят.
Пристают к заставе гости;
Князь Гвидон зовёт их в гости.
Их и кормит, и поит,
И ответ держать велит:
«Чем вы, гости, торг ведёте
И куда теперь плывёте?»
Корабельщики в ответ:
«Мы объехали весь свет,
Торговали мы конями,
Всё донскими жеребцами,
А теперь нам вышел срок —
И лежит нам путь далёк:
Мимо острова Буяна,
В царство славного Салтана...»
Говорит им князь тогда:
«Добрый путь вам, господа,
По морю по Окияну
К славному царю Салтану;
Да скажите: князь Гвидон
Шлёт царю-де свой поклон».

Гости князю поклонились,
Вышли вон и в путь пустились.
К морю князь — а лебедь там
Уж гуляет по волнам.
Молит князь: душа-де просит,
Так и тянет и уносит...
Вот опять она его
Вмиг обрызгала всего:
В муху князь оборотился,
Полетел и опустился
Между моря и небес
На корабль — и в щель залез.

Ветер весело шумит,
Судно весело бежит
Мимо острова Буяна,

В царство славного Салтана —
И желанная страна
Вот уж издали видна́;
Вот на берег вышли гости;
Царь Салтан зовёт их в гости,
И за ними во дворец
Полетел наш удалец.
Видит: весь сияя в злате,
Царь Салтан сидит в палате
На престоле и в венце,
С грустной думой на лице.
А ткачиха с Бабарихой
Да с кривою поварихой
Около царя сидят,
Злыми жабами глядят.

Царь Салтан гостей сажает
За свой стол и вопрошает:
«Ой вы, гости-господа,
Долго ль ездили? куда?
Ладно ль за́ морем, иль худо?
И какое в свете чудо?»
Корабельщики в ответ:
«Мы объехали весь свет;
За морем житьё не худо;
В свете ж вот какое чудо:
Остров на море лежит,
Град на острове стоит
С златоглавыми церквами,
С теремами да садами;
Ель растёт перед дворцом,
А под ней хрустальный дом;
Белка там живёт ручная,
Да затейница какая!
Белка песенки поёт
Да орешки всё грызёт,
А орешки не простые,
Всё скорлупки золотые,
Ядра — чистый изумруд;
Слуги белку стерегут,

Служат ей прислугой разной –
И приставлен дьяк приказный
Строгий счёт орехам весть;
Отдаёт ей войско честь;
Из скорлупок льют монету
Да пускают в ход по свету;
Девки сыплют изумруд
В кладовые, да под спуд;
Все в том острове богаты,
Изоб нет, везде палаты;
А сидит в нём князь Гвидон;
Он прислал тебе поклон».
Царь Салтан дивится чуду.
«Если только жив я буду,
Чудный остров навещу,
У Гвидона погощу».
А ткачиха с поварихой,
С сватьей бабой Бабарихой
Не хотят его пустить
Чудный остров навестить.
Усмехнувшись исподтиха,
Говорит царю ткачиха:
«Что тут дивного? ну, вот!
Белка камушки грызёт,
Мечет золото и в груды
Загребает изумруды;
Этим нас не удивишь,
Правду ль, нет ли говоришь.
В свете есть иное диво:
Море вздуется бурливо,
Закипит, подымет вой,
Хлынет на́ берег пустой,
Разольётся в шумном беге,
И очутятся на бреге,
В чешуе, как жар горя,
Тридцать три богатыря,
Все красавцы удалые,
Великаны молодые,
Все равны, как на подбор,

С ними дядька Черномор.
Это диво, так уж диво,
Можно молвить справедливо!»
Гости умные молчат,
Спорить с нею не хотят.
Диву царь Салтан дивится,
А Гвидон-то злится, злится...
Зажужжал он и как раз
Тётке сел на левый глаз,
И ткачиха побледнела:
«Ай!» — и тут же окривела;
Все кричат: «Лови, лови,
Да дави её, дави...
Вот ужо! Постой немножко,
Погоди...» А князь в окошко,
Да спокойно в свой удел
Через море прилетел.

Князь у синя моря ходит,
С синя моря глаз не сводит;
Глядь — поверх текучих вод
Лебедь белая плывёт.
«Здравствуй, князь ты мой прекрасный!
Что ты тих, как день ненастный?
Опечалился чему?» —
Говорит она ему.
Князь Гвидон ей отвечает:
«Грусть-тоска меня съедает —
Диво б дивное хотел
Перенесть я в мой удел». —
«А какое ж это диво?» —
«Где-то вздуется бурливо
Окиян, подымет вой,
Хлынет на́ берег пустой,
Расплеснётся в шумном беге,
И очутятся на бре́ге,
В чешуе, как жар горя,
Тридцать три богатыря,
Все красавцы молодые,

Великаны удалые,
Все равны, как на подбор,
С ними дядька Черномор».
Князю лебедь отвечает:
«Вот что, князь, тебя смущает?
Не тужи, душа моя,
Это чудо знаю я.
Эти витязи морские
Мне ведь братья все родные.
Не печалься же, ступай,
В гости братцев поджидай».

Князь пошёл, забывши горе,
Сел на башню, и на море
Стал глядеть он; море вдруг
Всколыхалося вокруг,
Расплескалось в шумном беге
И оставило на бре́ге
Тридцать три богатыря;
В чешуе, как жар горя,
Идут витязи чета́ми,
И, блистая седина́ми,
Дядька впереди идёт
И ко граду их ведёт.
С башни князь Гвидон сбегает,
Дорогих гостей встречает;
Второпях народ бежит;
Дядька князю говорит:
«Лебедь нас к тебе послала
И наказом наказала
Славный город твой хранить

И дозором обходить.
Мы отныне ежедённо
Вместе будем непремённо
У высоких стен твоих
Выходить из вод морских,
Так увидимся мы вскоре,
А теперь пора нам в море;
Тяжек воздух нам земли».
Все потом домой ушли.

Ветер пó морю гуляет
И кораблик подгоняет;
Он бежит себе в волнах
На поднятых парусах
Мимо острова крутого,
Мимо города большого;
Пушки с пристани палят,
Кораблю пристать велят.
Пристают к заставе гости;
Князь Гвидон зовёт их в гости,
Их и кормит, и поит,
И ответ держать велит:
«Чем вы, гости, торг ведёте?
И куда теперь плывёте?»
Корабельщики в ответ:
«Мы объехали весь свет;
Торговали мы булатом,
Чистым сéребром и злáтом,
И теперь нам вышел срок;
А лежит нам путь далёк,
Мимо острова Буяна,
В царство славного Салтана».
Говорит им князь тогда:
«Добрый путь вам, господа,
По морю по Окияну
К славному царю Салтану.
Да скажите ж: князь Гвидон
Шлёт-де свой царю поклон».

Гости князю поклонились,
Вышли вон и в путь пустились.
К морю князь, а лебедь там
Уж гуляет по волнам.
Князь опять: душа-де просит...
Так и тянет и уносит...
И опять она его
Вмиг обрызгала всего.
Тут он очень уменьшился,
Шмелем князь оборотился,
Полетел и зажужжал;
Судно на море догнал,
Потихоньку опустился
На корму — и в щель забился.

Ветер весело шумит,
Судно весело бежит
Мимо острова Буяна,
В царство славного Салтана,
И желанная страна
Вот уж издали видна.
Вот на берег вышли гости.
Царь Салтан зовёт их в гости,
И за ними во дворец
Полетел наш удалец.
Видит, весь сияя в злате,
Царь Салтан сидит в палате
На престоле и в венце,
С грустной думой на лице.
А ткачиха с поварихой,
С сватьей бабой Бабарихой
Около царя сидят —
Четырьмя все три глядят.
Царь Салтан гостей сажает
За свой стол и вопрошает:
«Ой вы, гости-господа,
Долго ль ездили? куда?
Ладно ль за морем, иль худо?

И какое в свете чудо?»
Корабельщики в ответ:
«Мы объехали весь свет;
За́ морем житьё не худо;
В свете ж вот какое чудо:
Остров на́ море лежит,
Град на острове стоит,
Каждый день идёт там диво:
Море вздуется бурли́во,
Закипит, подымет вой,
Хлынет на берег пустой,
Расплеснётся в скором беге —
И останутся на бре́ге
Тридцать три богатыря,
В чешуе златой горя,
Все красавцы молодые,
Великаны удалые,
Все равны, как на подбор;
Старый дядька Черномор
С ними и́з моря выходит
И попарно их выводит,
Чтобы остров тот хранить
И дозором обходить —
И той стражи нет наде́жней,
Ни храбрее, ни прилежней.
А сидит там князь Гвидон;
Он прислал тебе поклон».
Царь Салтан диви́тся чуду:
«Коли жив я только буду,
Чудный остров навещу
И у князя погощу».
Повариха и ткачиха
Ни гугу — но Бабариха,
Усмехнувшись, говорит:
«Кто нас этим удивит?
Люди и́з моря выходят
И себе дозором бродят!
Правду ль ба́ют или лгут,
Дива я не вижу тут.

В свете есть такие ль дива?
Вот идёт молва правдива:
За́ морем царевна есть,
Что не можно глаз отвесть:
Днём свет Божий затмевает,
Ночью землю освещает,
Месяц под косой блестит,
А во лбу звезда горит.
А сама-то величава,
Выступает, будто пава;
А как речь-то говорит,
Словно реченька журчит.
Молвить можно справедливо,
Это диво, так уж диво».
Гости умные молчат:
Спорить с бабой не хотят.
Чуду царь Салтан диви́тся —
А царевич хоть и злится,
Но жалеет он очей
Старой бабушки своей:
Он над ней жужжит, кружи́тся —
Прямо на́ нос к ней садится,
Нос ужалил богатырь:
На носу вскочил волдырь.
И опять пошла тревога:
«Помогите, ради Бога!
Караул! лови, лови,
Да дави его, дави...
Вот ужо! пожди немножко,
Погоди!..» А шмель в окошко,
Да спокойно в свой удел
Через море полетел.

Князь у синя моря ходит,
С синя моря глаз не сводит;
Глядь — поверх текучих вод
Лебедь белая плывёт.
«Здравствуй, князь ты мой прекрасный!
Что ж ты тих, как день ненастный?

Опечалился чему?» —
Говорит она ему.
Князь Гвидон ей отвечает:
«Грусть-тоска меня съедает:
Люди женятся; гляжу,
Не женат лишь я хожу». —
«А кого же на примете
Ты имеешь?» — «Да на свете,
Говорят, царевна есть,
Что не можно глаз отвесть.
Днём свет Божий затмевает,
Ночью землю освещает —
Месяц под косой блестит,
А во лбу звезда горит.
А сама-то величава,
Выступает, будто пава;
Сладку речь-то говорит,
Будто реченька журчит.
Только, полно, правда ль это?»
Князь со страхом ждёт ответа.
Лебедь белая молчит

И, подумав, говорит:
«Да! Такая есть девица.
Но жена не рукавица:
С белой ручки не стряхнёшь
Да за пояс не заткнёшь.
Услужу тебе советом —
Слушай: обо всём об этом
Пораздумай ты путём,
Не раскаяться б потом».
Князь пред нею стал божиться,
Что пора ему жениться,
Что об этом обо всём
Передумал он путём;
Что готов душою страстной
За царевною прекрасной
Он пешком идти отсель
Хоть за тридевять земель.
Лебедь тут, вздохнув глубоко,

Молвила: «Зачем далёко?
Знай, близка судьба твоя,
Ведь царевна эта — я».
Тут она, взмахнув крылами,
Полетела над волнами
И на берег с высоты
Опустилася в кусты,
Встрепенулась, отряхнулась
И царевной обернулась:
Месяц под косой блестит,
А во лбу звезда горит;
А сама-то величава,
Выступает, будто пава;
А как речь-то говорит,
Словно реченька журчит.
Князь царевну обнимает,
К белой груди прижимает
И ведёт её скорей
К милой матушке своей.
Князь ей в ноги, умоляя:
«Государыня родная!
Выбрал я жену себе,
Дочь послушную тебе.
Просим оба разрешенья,
Твоего благословенья:
Ты детей благослови
Жить в совете и любви».
Над главою их покорной
Мать с иконой чудотворной
Слёзы льёт и говорит:
«Бог вас, дети, наградит».
Князь не долго собирался,
На царевне обвенчался;
Стали жить да поживать,
Да приплода поджидать.

Ветер по́ морю гуляет
И кораблик подгоняет;
Он бежит себе в волнах
На раздутых парусах

Мимо острова крутого,
Мимо города большого;
Пушки с пристани палят,
Кораблю пристать велят.
Пристают к заставе гости.
Князь Гвидон зовёт их в гости,
Он их кормит, и поит,
И ответ держать велит:
«Чем вы, гости, торг ведёте
И куда теперь плывёте?»
Корабельщики в ответ:
«Мы объехали весь свет,
Торговали мы недаром
Неуказанным товаром;
А лежит нам путь далёк:
Восвояси на восток,
Мимо острова Буяна,
В царство славного Салтана».
Князь им вымолвил тогда:
«Добрый путь вам, господа,
По морю по Окияну
К славному царю Салтану;
Да напомните ему,
Государю своему:
К нам он в гости обещался,
А доселе не собрался —
Шлю ему я свой поклон».
Гости в путь, а князь Гвидон
Дома на сей раз остался
И с женою не расстался.

Ветер весело шумит,
Судно весело бежит
Мимо острова Буяна
К царству славного Салтана,
И знакомая страна
Вот уж издали видна.
Вот на берег вышли гости.
Царь Салтан зовёт их в гости,

Гости видят: во дворце
Царь сидит в своём венце,
А ткачиха с поварихой,
С сватьей бабой Бабарихой
Около царя сидят,
Четырьмя все три глядят.
Царь Салтан гостей сажает
За свой стол и вопрошает:
«Ой вы, гости-господа,
Долго ль ездили? куда?
Ладно ль за́ морем, иль худо?
И какое в свете чудо?»
Корабельщики в ответ:
«Мы объехали весь свет;
За́ морем житьё не худо,
В свете ж вот какое чудо:
Остров на море лежит,
Град на острове стоит,
С златоглавыми церквами,
С теремами и садами;
Ель растёт перед дворцом,
А под ней хрустальный дом:
Белка в нём живёт ручная,
Да чудесница какая!
Белка песенки поёт
Да орешки всё грызёт;
А орешки не простые,
Скорлупы́-то золотые,
Ядра — чистый изумруд;
Белку холят, берегут.
Там ещё другое диво:
Море вздуется бурливо,
Закипит, подымет вой,
Хлынет на берег пустой,
Расплеснётся в скором беге,
И очутятся на бреге,
В чешуе, как жар горя,
Тридцать три богатыря,
Все красавцы удалые,

Великаны молодые,
Все равны, как на подбор —
С ними дядька Черномор.
И той стражи нет надёжней,
Ни храбрее, ни прилежней.
А у князя жёнка есть,
Что не можно глаз отвесть:
Днём свет Божий затмевает,
Ночью землю освещает;
Месяц под косой блестит,
А во лбу звезда горит.
Князь Гвидон тот город правит,
Всяк его усердно славит;
Он прислал тебе поклон,
Да тебе пеняет[1] он:
К нам-де в гости обещался,
А доселе не собрался».

Тут уж царь не утерпел,
Снарядить он флот велел.
А ткачиха с поварихой,
С сватьей бабой Бабарихой
Не хотят царя пустить
Чудный остров навестить.
Но Салтан им не внимает
И как раз их унимает:
«Что я? Царь или дитя? —
Говорит он не шутя: —
Нынче ж еду!» — тут он топнул,
Вышел вон и дверью хлопнул.

Под окном Гвидон сидит,
Молча на́ море глядит:
Не шумит оно, не хлещет,
Лишь едва-едва трепещет,
И в лазоревой дали
Показались корабли:
По равнинам Окияна
Едет флот царя Салтана.

---

[1] Пеня́ть — укорять.

Князь Гвидон тогда вскочил,
Громогласно возопил:
«Матушка моя родная!
Ты, княгиня молодая!
Посмотрите вы туда:
Едет батюшка сюда».
Флот уж к острову подходит.
Князь Гвидон трубу наводит:
Царь на палубе стоит
И в трубу на них глядит;
С ним ткачиха с поварихой,
С сватьей бабой Бабарихой;
Удивляются оне
Незнакомой стороне.
Разом пушки запалили;
В колокольнях зазвонили;
К морю сам идёт Гвидон;
Там царя встречает он
С поварихой и ткачихой,
С сватьей бабой Бабарихой;
В город он повёл царя,
Ничего не говоря.
Все теперь идут в палаты:
У ворот блистают латы,
И стоят в глазах царя
Тридцать три богатыря,

Все красавцы молодые,
Великаны удалые,
Все равны, как на подбор,
С ними дядька Черномор.
Царь ступил на двор широкий:
Там под ёлкою высокой
Белка песенку поёт,
Золотой орех грызёт,
Изумрудец вынимает
И в мешочек опускает;
И засеян двор большой
Золотою скорлупой.
Гости дале — торопливо
Смотрят — что ж? княгиня — диво:
Под косой луна блестит,
А во лбу звезда горит:
А сама-то величава,
Выступает, будто пава,
И свекровь свою ведёт.
Царь глядит — и узнаёт...
В нём взыграло ретивое[1]!
«Что я вижу? что такое?
Как!» — и дух в нём занялся...
Царь слезами залился,
Обнимает он царицу,
И сынка, и молодицу,
И садятся все за стол;
И весёлый пир пошёл.
А ткачиха с поварихой,
С сватьей бабой Бабарихой
Разбежались по углам;
Их нашли насилу там.
Тут во всём они признались,
Повинились, разрыдались;
Царь для радости такой
Отпустил всех трёх домой.

---

[1] Взыграло ретивое – здесь: возникло сильное чувство, возбуждение.

День прошёл — царя Салтана
Уложили спать вполпьяна.
Я там был; мёд, пиво пил —
И усы лишь обмочил.

1831

1. Какие признаки волшебной сказки вы видите в «Сказке о царе Салтане…»?

2. Назовите сказочных персонажей. Кого из них можно отнести к миру добра, кого — к миру зла? Почему вы так думаете? Каких героев в сказке больше — добрых или злых? Почему?

3. В этой сказке, как это обычно в сказках бывает, добро побеждает зло. Но добрые герои здесь побеждают благодаря своим душевным качествам, свойствам характера. Подумайте, какими качествами обладали добрые герои сказки. Ответив на этот вопрос, вы поймёте замысел автора, основную идею, заложенную в этой сказке.

4. Почему в сказке Пушкина злых героев не наказывают, а отпускают?

5. Чем похожи «Сказка о царе Салтане…» и «Сказка о рыбаке и рыбке»?

Василий Жуковский (1783—1852)

СПЯЩАЯ ЦАРЕВНА

Жил-был добрый царь Матвей;
Жил с царицею своей
Он в согласье много лет;
А детей всё нет как нет.
Раз царица на лугу,
На зелёном берегу
Ручейка была одна;
Горько плакала она.
Вдруг, глядит, ползёт к ней рак;
Он сказал царице так:
«Мне тебя, царица, жаль;
Но забудь свою печаль;
Понесёшь ты в эту ночь:
У тебя родится дочь». —
«Благодарствуй, добрый рак;
Не ждала тебя никак...»
Но уж рак уполз в ручей,
Не слыхав её речей.
Он, конечно, был пророк;
Что сказал — сбылося в срок:

Дочь царица родила.
Дочь прекрасна так была,
Что ни в сказке рассказать,
Ни пером не описать.
Вот царём Матвеем пир
Знатный дан на целый мир;
И на пир весёлый тот
Царь одиннадцать зовёт
Чародеек молодых;
Было ж всех двенадцать их;
Но двенадцатой одной,
Хромоногой, старой, злой,
Царь на праздник не позвал.
Отчего ж так оплошал
Наш разумный царь Матвей?
Было то обидно ей.
Так, но есть причина тут:
У царя двенадцать блюд
Драгоценных, золотых,
Было в царских кладовых;
Приготовили обед;
А двенадцатого нет!
(Кем украдено оно,
Знать об этом не дано.)
«Что ж тут делать? — царь сказал. —
Так и быть!» И не послал
Он на пир старухи звать.
Собралися пировать
Гостьи, званные царём;
Пили, ели, а потом,
Хлебосольного царя
За приём благодаря,
Стали дочь его дарить:
«Будешь в золоте ходить;
Будешь чудо красоты;
Будешь всем на радость ты
Благонравна и тиха;
Дам красавца жениха
Я тебе, моё дитя;

Жизнь твоя пройдёт шутя
Меж знакомых и родных...»
Словом, десять молодых
Чародеек, одарив
Так дитя наперерыв,
Удалились; в свой черёд
И последняя идёт;
Но ещё она сказать
Не успела слова — глядь!
А незваная стоит
Над царевной и ворчит:
«На пиру я не была,
Но подарок принесла:
На шестнадцатом году
Повстречаешь ты беду;
В этом возрасте своём
Руку ты веретеном
Оцарапаешь, мой свет,
И умрёшь во цвете лет!»
Проворчавши так, тотчас
Ведьма скрылася из глаз;
Но оставшаяся там
Речь домолвила: «Не дам
Без пути ругаться ей
Над царевною моей;
Будет то не смерть, а сон;
Триста лет продлится он;
Срок назначенный пройдёт,
И царевна оживёт;
Будет долго в свете жить;
Будут внуки веселить
Вместе с нею мать, отца
До земного их конца».
Скрылась гостья. Царь грустит;
Он не ест, не пьёт, не спит:
Как от смерти дочь спасти?
И, беду чтоб отвести,
Он даёт такой указ:
«Запрещается от нас

«В нашем царстве сеять лён,
Прясть, сучить, чтоб веретён
Духу не было в домах;
Чтоб скорей как можно прях
Всех из царства выслать вон».
Царь, издав такой закон,
Начал пить, и есть, и спать,
Начал жить да поживать,
Как дотоле, без забот.
Дни проходят; дочь растёт;
Расцвела, как майский цвет;
Вот уж ей пятнадцать лет...
Что-то, что-то будет с ней!
Раз с царицею своей
Царь отправился гулять;
Но с собой царевну взять
Не случилось им; она
Вдруг соскучилась одна
В душной горнице сидеть
И на свет в окно глядеть.
«Дай, — сказала наконец, —
Осмотрю я наш дворец».
По дворцу она пошла:
Пышных комнат нет числа;
Всем любуется она;
Вот, глядит, отворена
Дверь в покой; в покое том
Вьётся лестница винтом
Вкруг столба; по ступеням
Всходит вверх и видит — там
Старушоночка сидит;
Гребень под носом торчит;
Старушоночка прядёт
И за пряжею поёт:
«Веретёнце, не ленись;
Пряжа тонкая, не рвись;
Скоро будет в добрый час
Гостья жданная у нас».
Гостья жданная вошла;

Пряха молча подала
В руки ей веретено;
Та взяла, и вмиг оно
Укололо руку ей...
Всё исчезло из очей;
На неё находит сон;
Вместе с ней объемлет он
Весь огромный царский дом;
Всё утихнуло кругом;
Возвращаясь во дворец,
На крыльце её отец
Пошатнулся, и зевнул,
И с царицею заснул;
Свита вся за ними спит;
Стража царская стоит
Под ружьём в глубоком сне,
И на спящем спит коне
Перед ней хору́нжий[1] сам;
Неподвижно по стенам
Мухи сонные сидят;
У ворот собаки спят;
В стойлах, головы склонив,
Пышны гривы опустив,
Кони корму не едят,
Кони сном глубоким спят;
Повар спит перед огнём;
И огонь, объятый сном,
Не пылает, не горит,
Сонным пламенем стоит;
И не тронется над ним,
Свившись клубом, сонный дым;
И окрестность со дворцом
Вся объята мёртвым сном;
И покрыл окрестность бор;
Из терновника забор
Дикий бор тот окружил;
Он навек загородил
К дому царскому пути:

---

[1] Хору́нжий — воин, который носил знамя полка, хору́гвь.

Долго, долго не найти
Никому туда следа,
И приблизиться — беда!..
Птица там не пролетит,
Близко зверь не пробежит,
Даже облака небес
На дремучий, тёмный лес
Не навеет ветерок.
Вот уж полный век протёк;
Словно не́ жил царь Матвей —
Так из памяти людей
Он изгладился давно.
Знали только то одно,
Что средь бора дом стоит,
Что царевна в доме спит,
Что проспать ей триста лет,
Что теперь к ней следу нет.
Много было смельчаков
(По сказанью стариков),
В лес брались они сходить,
Чтоб царевну разбудить;
Даже бились об заклад
И ходили — но назад
Не пришёл никто. С тех пор
В неприступный, страшный бор
Ни старик, ни молодой
За царевной ни ногой.
Время ж всё текло, текло;
Вот и триста лет прошло.
Что ж случилося? В один
День весенний царский сын,
Забавляясь ловлей, там
По долинам, по полям
С свитой ловчих разъезжал.
Вот от свиты он отстал;
И у бора вдруг один
Очутился царский сын.
Бор, он видит, тёмен, дик.
С ним встречается старик.

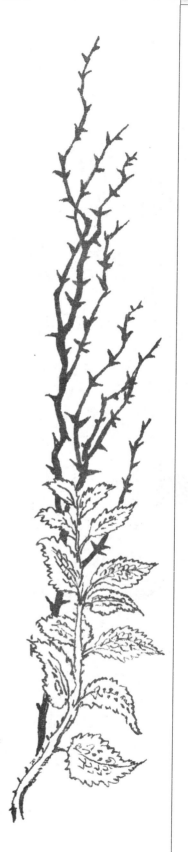

С стариком он в разговор:
«Расскажи про этот бор
Мне, старинушка честной!»
Покачавши головой,
Всё старик тут рассказал,
Что от дедов он слыхал
О чудесном боре том:
Как богатый царский дом
В нём давным-давно стоит,
Как царевна в доме спит,
Как её чудесен сон,
Как три века длится он,
Как во сне царевна ждёт,
Что спаситель к ней придёт;
Как опасны в лес пути,
Как пыталася дойти
До царевны молодёжь,
Как со всяким то ж да то ж
Приключалось: попадал
В лес, да там и погибал.
Был детина удалой
Царский сын; от сказки той
Вспыхнул он, как от огня;
Шпоры втиснул он в коня;
Прянул конь от острых шпор
И стрелой помчался в бор,
И в одно мгновенье там.
Что ж явилося очам
Сына царского?
Забор,
Ограждавший тёмный бор,
Не терновник уж густой,
Но кустарник молодой;
Блещут розы по кустам;
Перед витязем он сам
Расступился, как живой;
В лес въезжает витязь мой:
Всё свежо, красно пред ним;
По цветочкам молодым

Пляшут, блещут мотыльки;
Светлой змейкой ручейки
Вьются, пенятся, журчат;
Птицы прыгают, шумят
В густоте ветвей живых;
Лес душист, прохладен, тих,
И ничто не страшно в нём.
Едет гладким он путём
Час, другой; вот наконец
Перед ним стоит дворец,
Зданье — чудо старины;
Ворота́ отворены.
В ворота́ въезжает он;
На дворе встречает он
Тьму людей, и каждый спит:
Тот как вкопанный сидит;
Тот, не двигаясь, идёт;
Тот стоит, раскрывши рот:
Сном пресёкся разговор,
И в устах молчит с тех пор
Недоконченная речь;
Тот, вздремав, когда-то лечь
Собрался, но не успел:
Сон **волшебный** овладел
Прежде сна **простого** им,

И, три века недвижим,
Не стоит он, не лежит
И, упасть готовый, спит.
Изумлён и поражён
Царский сын. Проходит он
Между сонными к дворцу;
Приближается к крыльцу;
По широким ступеня́м
Хочет вверх идти; но там
На ступенях царь лежит
И с царицей вместе спит.
Путь наверх загорожён.

«Как же быть? — подумал он. —
Где пробраться во дворец?»
Но решился наконец,
И, молитву сотворя,
Он шагнул через царя.
Весь дворец обходит он;
Пышно всё, но всюду сон,
Гробовая тишина.
Вдруг глядит: отворена
Дверь в покой; в покое том
Вьётся лестница винтом
Вкруг столба; по ступеня́м
Он взошёл. И что же там?
Вся душа его кипит,
Перед ним царевна спит.
Как дитя, лежит она,
Распыла́лася от сна;
Молод цвет её лани́т[1];
Меж ресницами блестит
Пламя сонное очей;
Ночи тёмныя темней,
Заплетённые косой,
Кудри чёрной полосой
Обвились кругом чела́[2];
Грудь как свежий снег бела;
На воздушный, тонкий стан
Брошен лёгкий сарафан;
Губки алые горят;
Руки белые лежат
На трепещущих грудя́х;
Сжаты в лёгких сапожка́х
Ножки — чудо красотой.
Видом прелести такой
Отуманен, распалён,
Неподвижно смотрит он;
Неподвижно спит она.

---

1 Лани́ты — щёки.
2 Чело́ — лоб.

Что ж разрушит силу сна?
Вот, чтоб душу насладить,
Чтоб хоть мало утолить
Жадность пламенных очей,
На колени ставши, к ней
Он приблизился лицом:
Распалительным огнём
Жарко рдеющих ланит
И дыханьем уст облит,
Он души не удержал
И её поцеловал.
Вмиг проснулася она;
И за нею вмиг от сна
Поднялося всё кругом:
Царь, царица, царский дом;
Снова говор, крик, возня;
Всё как было; словно дня
Не прошло с тех пор, как в сон
Весь тот край был погружён.

Царь на лестницу идёт;
Нагулявшися, ведёт
Он царицу в их покой;
Сзади свита вся толпой;
Стражи ружьями стучат;
Мухи стаями летят;
Приворотный лает пёс;
На конюшне свой овёс
Доедает добрый конь;
Повар дует на огонь,
И, треща, огонь горит,
И струёю дым бежит.
Всё бывалое — один
Небывалый царский сын.
Он с царевной наконец
Сходит сверху; мать, отец
Принялись их обнимать.
Что ж осталось досказать?

Свадьба, пир, и я там был
И вино на свадьбе пил;
По усам вино бежало,
В рот же капли не попало.

1831

1. Для написания «Спящей царевны» Жуковский взял сюжет сказки братьев Гримм, которую незадолго до этого перевёл с немецкого языка. Однако его сказка получилась русской. Подумайте, что именно делает её такой (имена героев, детали быта — какие? Что ещё?).
2. Понравилась ли вам эта сказка? Почему?
3. Жуковский стремился к тому, чтобы детская литературная сказка «представляла воображению одни светлые образы, чтобы эти образы никакого дурного впечатления после себя не оставляли». Так ли это в сказке «Спящая царевна»? Ведь в ней есть злая чародейка.
4. Попробуйте сравнить сказки Пушкина и Жуковского (их построение, героев, сказочные превращения, язык). Какая из сказок вам нравится больше? Почему?
5. Чем отличается литературная сказка от народной?
6. Выучите наизусть отрывки из сказок Пушкина и Жуковского по своему выбору.

Владимир Даль (1801—1872)
ВОЙНА ГРИБОВ С ЯГОДАМИ
(русская сказка в обработке Владимира Даля)

Красным летом всего в лесу много — и грибов всяких и всяких ягод: земляники с черникой, и малины с ежевикой, и чёрной смородины. Ходят девки по лесу, ягоды собирают, песенки распевают, а гриб-боровик, под дубочком сидючи, и пыжится, дуется, из земли прёт, на ягоды гневается: «Вишь, что их уродилось! Бывало, и мы в чести, в почёте, а ныне никто на нас и не посмотрит! Постой же, — думает боровик, всем грибам голова, — нас, грибов, сила великая — пригнёмся, задушим её, сладку ягоду!»

Задумал-загадал боровик войну, под дубом сидючи, на все грибы глядючи, и стал он грибы сзывать, стал помочь скликать:

— Идите вы, волнушки, выступайте на войну!

Отказались волнушки:

— Мы все старые старушки, не повинны на войну.

— Идите вы, опёнки!

Отказалися опёнки:

— У нас ноги больно тонки, не пойдём на войну!

— Эй вы, сморчки! — крикнул гриб-боровик. — Снаряжайтесь на войну!

Отказалися сморчки; говорят:

— Мы старички, уж куда нам на войну!

Рассердился гриб, прогневался боровик, и крикнул он громким голосом:

— Грузди, вы ребята дружны, идите со мной воевать, кичли́вую ягоду избивать!

Откликнулись грузди с подгруздками:

— Мы грузди, братья дружны, мы идём с тобой на войну, на лесную и полевую ягоду, мы её шапками закидаем, пятой затопчем!

Сказав это, грузди полезли дружно из земли, сухой лист над головами их вздымается, грозная рать подымается.

«Ну, быть беде», — думает зелёная травка.

А на ту пору пришла с коробом в лес тётка Варвара — широкие карманы. Увидав великую груздевую силу, ахнула, присела и ну грибы сподряд брать да в кузов класть. Набрала его полным-полнёшенько, насилу до дому донесла, а дома разобрала грибки по родам да по званию: волнушки — в кадушки, опёнки — в бочонки, сморчки — в бурачки, груздки — в кузовки, а наибольший гриб-боровик попал в вязку; его пронизали, высушили да и продали.

С той поры перестал гриб с ягодою воевать.

КУЗОВОК
(игра)

Дети садятся играть. Один из них ставит на стол корзинку и говорит соседу:

— Вот тебе кузовок, клади в него что есть на ок, обмолвишься — отдашь залог.

Дети по очереди говорят слова в рифму на «ок»: «Я положу в кузовок клубок; а я платок; я замок, сучок, коробок, сапожок, башмачок, чулок, утюжок, воротничок, сахарок, мешок, листок, лепесток, колобок» и проч.

По окончании разыгрываются залоги: покрывают корзинку, и один из детей спрашивает:

— Чей залог вынется, что тому делать?

Дети по очереди назначают каждому залогу выкуп — например, попрыгать по комнате на одной ножке или в четырёх углах дело поделать: в одном постоять, в другом поплясать, в третьем поплакать, в четвёртом посмеяться; или басенку сказать, загадку загадать, или сказочку рассказать.

В.И. Даль

1. Обратите внимание на язык сказки. Прочитайте её по ролям.
2. Сыграйте в игру «Кузовок». Как можно разнообразить условия игры, какие слова загадывать?
3. Как вы думаете, почему А.С. Пушкин рекомендовал для детского чтения русские сказки и другие произведения фольклора именно в обработке В.И. Даля?

Принято считать, что для детей надо писать так же, как для взрослых, только лучше. Что это значит? Ответ можно найти в письме А.С. Пушкина Александре Осиповне Ишимовой: «Сегодня я нечаянно открыл Вашу «Историю в рассказах» и поневоле зачитался. Вот так надобно писать!» Это очень высокая оценка. Кто же такая А.О. Ишимова? Любимая детская писательница, талантливый переводчик, человек очень добрый и душевный. Современники высоко ценили её произведения: они воспитывали благородство и любовь к Отечеству, пробуждали всё лучшее, что заложено в человеке от рождения.

Александра Ишимова (1804—1881)

из книги
«ИСТОРИЯ РОССИИ
В РАССКАЗАХ ДЛЯ ДЕТЕЙ»

СЛАВЯНЕ
До 862 года христианского летоисчисления

Милые дети! Вы любите слушать чу́дные рассказы о храбрых героях и прекрасных царевнах, вас веселят сказки о добрых и злых волшебницах. Но, верно, для вас ещё приятнее будет слышать не сказку, а быль, то есть сущую правду? Послушайте же, я расскажу вам её о делах ваших предков.

В старину в отечестве вашем, России, не было таких прекрасных городов, как наш Петербург и Москва. На тех местах, где вы любуетесь теперь красивыми строениями, где вы так весело бегаете в тени прохладных садов, некогда видны были непроходимые леса, топкие болота и дымные избушки. Местами были и города, но вовсе не такие обширные, как в наше время: в них жили люди, красивые лицом и станом, гордые славными делами предков, честные, добрые и ласковые до́ма, но страшные и непримиримые на войне. Их называли славянами. Какое прекрасное имя, не правда ли, милые дети? Верно, и самые маленькие из вас понимают, что значит слава? Славяне старались доказать, что недаром их называли так, и отличались всеми хорошими качествами, которыми можно заслужить славу.

Они были так честны, что в обещаниях своих вместо клятв говорили только: «Если я не сдержу моего слова, то да будет мне стыдно!» И всегда исполняли обещанное; так храбры, что и отдалённые народы боялись их; так ласковы и гостеприимны, что наказывали того хозяина, у которого гость был чем-нибудь оскорблён. Жаль только того, что они не знали истинного Бога и молились не ему, но разным и́долам. Идол значит статуя, сделанная из дерева или какого-нибудь металла и представляющая человека или зверя.

Славяне разделялись на разные племена; у северных, или новгородских, славян не было и государя, что бывает у многих необразованных народов: они почитали начальником своим того, кто более всего отличался на войне. Поэтому вы видите, как они любили войну и всё соединённое с нею. На поле, где сражались они и потом торжествовали победу или славную смерть погибших товарищей, можно было всего лучше видеть истинный характер славян. Жаль, что до нас не дошли песни, которые обыкновенно пелись в это время певцами их. Мы так хорошо узнали бы тогда самих их, потому что в песнях народных выражается народ.

Но эта самая воинственность, охраняя землю их, была причиною и большого зла для неё. Вы слышали уже, милые читатели, что, не имея государей, славяне почитали начальником своим того, кто более других отличался на войне; а как они все были храбры, то иногда случалось, что таких начальников было много. Каждый из них хотел приказывать по-своему; народ не знал, кого слушать, и оттого были у них беспрестанные споры и несогласия. А ведь вы знаете, как несносны ссоры? И вам в ваших маленьких делах, верно, случалось уже испытать, какие неприятные следствия имеют они, и какая разница в чувствах, в положении вашем, когда все окружающие вас довольны вами, а вы — ими.

И славяне также видели, что во время несогласий их все дела шли у них дурно, и даже они переставали побеждать своих неприятелей. Долго не знали они, что делать; наконец придумали средство привести всё в порядок. На берегах Балтийского моря — стало быть, не очень далеко от отечества нашего — жил народ по имени варя́ги-русь, происходивший от великих завоевателей в Европе — норма́ннов.

Эти варяги-русь почитались от соседей народом умным: у них давно уже были добрые государи, которые заботились о них так, как заботится добрый отец о детях; были и законы, по которым эти государи управляли ими, и оттого варяги жили счастливо и им удавалось даже иногда побеждать славян, правда, это случалось только тогда, когда они нападали на них во время споров и несогласий их.

Вот старики славянские, видя счастие

варягов и желая такого же своей родине, уговорили всех славян отправить послов к этому храброму и предприимчивому народу просить у него князей управлять ими. После сказали варяжским князьям так: «Земля наша велика и богата, а порядка в ней нет: идите княжить и владеть нами».

1. Сравните отрывок из «Повести временных лет» — «Расселение славян» — с прочитанной вами главой из книги А.О. Ишимовой. Писательница, по сути дела, пересказывает исторические события для детей. То же самое сделал в наше время академик Дмитрий Сергеевич Лихачёв. В чём особенности рассказа Ишимовой? Как автор пытается сделать исторические сведения доступными и интересными детям?
2. Перечитайте внимательно текст. Что нового вы узнали о наших далёких предках — славянах?
3. Как удаётся писательнице выразить в рассказе своё отношение к событиям, к людям, о которых она рассказывает?

Ребята, вы многое узнали о «сказочниках» XIX века — А. Пушкине, В. Жуковском, А. Погорельском, В. Дале. В 20—30-е годы XIX века было написано много авторских сказок и складывался этот жанр — русская литературная сказка. Но картина

В.Ф. Одоевский

П.А. Плетнёв

будет неполной, если мы не назовём ещё двух писателей, хорошо вам известных. Это Пётр Ершов и Владимир Одо́евский.

Владимир Фёдорович Одо́евский (1803—1862) известен как автор замечательных детских сказок «Мороз Иванович» и «Городок в табакерке», которые были опубликованы в сборнике «Сказки дедушки Ирине́я». Весёлые и грустные, поучительные и немного волшебные сказки дедушки Иринея показывают, как жили и поступали дети в прошлом веке.

Одоевский писал и для взрослых. Мало кто знает, что он — автор первого в истории русской литературы научно-фантастического романа «4338 год. Петербургские письма». Одоевский был не только писателем, но и педагогом, музыкальным критиком, служил заместителем директора Императорской публичной библиотеки в Петербурге.

Пётр Павлович Ершов (1815—1869) — тоже человек очень талантливый, с удивительной судьбой. Когда Петру Ершову было 18 лет, он, студент Петербургского университета, сочинил сказку в стихах и показал её профессору П.А. Плетнёву, у которого слушал лекции по русской словесности. Сказка так понравилась Плетнёву, что он прочитал её вслух студентам вместо очередной лекции. Называлась сказка «Конёк-Горбунок». Она была напечатана в 1834 году, пользовалась огромным успехом и у детей, и у взрослых, понравилась Пушкину и Жуковскому, признанным мастерам литературной сказки. Потом, позже, Ершов написал другие произведения, но сказка «Конёк-Горбунок» была лучшим из всего, что он создал.

1. С какими детскими писателями вы познакомились во время четвёртого и пятого путешествий наших героев? Назовите их произведения.
2. Расскажите об одном из писателей по вашему выбору.
3. Какие жанры детской литературы развиваются в первые три десятилетия XIX века?

ПУТЕШЕСТВИЕ ШЕСТОЕ
Мир природы приходит на страницы книг. Знакомые имена. Увидеть прекрасное в повседневном, обычном

— Друзья мои, должен вас немного огорчить. В ближайшее время нам придётся отказаться от путешествий в прошлое, потому что мне нужно серьёзно поработать над новой книгой для студентов. Ну-ну, сударыня, не собираетесь же вы плакать по этому поводу? — и Николай Александрович ласково улыбнулся Оле. — Уверяю вас, вы не будете скучать. Предлагаю вам, не выходя из комнаты, продолжить путешествие в XIX век. Я хочу, чтобы вы самостоятельно познакомились с ещё одной страничкой истории детской литературы. Вот вам книги, в них лежат закладки — это для вас. Посмотрите, здесь есть знакомые имена: Сергей Аксаков, Алексей Константинович Толстой, Аполлон Майков. А вот другие: Алексей Плещеев, Фёдор Тютчев.

Ребята, давайте вместе с нашими героями откроем следующую страницу истории русской детской литературы. Вы увидите, как в неё пришла новая тема — мир природы.

Сергей Аксаков (1791—1859)

ИЗ КНИГИ
«ДЕТСКИЕ ГОДЫ БАГРОВА-ВНУКА»

ВСТУПЛЕНИЕ

Я сам не знаю, можно ли вполне верить всему тому, что сохранила моя память? Если я помню действительно случившиеся события, то это можно назвать воспоминаниями не только детства, но даже младенчества. Разумеется, я ничего не помню в связи, в непрерывной последовательности; но многие случаи живут в моей памяти до сих пор со всей яркостью красок, со всею живостью вчерашнего события.

ОТРЫВОЧНЫЕ ВОСПОМИНАНИЯ

Самые первые предметы, уцелевшие на ветхой картине давно прошедшего, картине, сильно полинявшей в иных местах от времени и потока шестидесяти годов, предметы и образы, которые ещё носятся в моей памяти, — кормилица, маленькая сестрица и мать.

Сестрицу я любил сначала больше всех игрушек, больше матери, и любовь эта выражалась беспрестанным желанием её видеть и чувством жалости: мне всё казалось, что ей холодно, что она голодна и что ей хочется кушать; я беспрестанно хотел одеть её своим платьицем и кормить своим кушаньем; разумеется, мне этого не позволяли, и я плакал.

Постоянное присутствие матери сливается с каждым моим воспоминанием. Её образ неразрывно соединяется с моим существованием, и потому он мало выдаётся в отрывочных картинах первого времени моего детства, хотя постоянно участвует в них.

ПЕРВАЯ ВЕСНА В ДЕРЕВНЕ

1

В середине Великого поста[1] наступила сильная оттепель. Снег быстро начал таять, и везде показалась вода. Приближение весны в деревне производило на меня необыкновенное, раздражающее впечатление. Я чувствовал никогда не испытанное мною, особого рода волнение. Много содействовали тому разговоры с отцом и Евсеичем, которые радовались весне, как охотники, как люди, выросшие в деревне и страстно любившие природу, хотя сами того хорошенько не понимали. Находя во мне живое сочувствие, они с увлечением предавались удовольствию рассказывать мне: как сначала обтают горы, как побегут с них ручьи, как спустят пруд, разольётся полая вода, пойдёт вверх по полям рыба; как прилетит летняя птица, запоют жаворонки, проснутся сурки и начнут свистать, сидя на задних лапках по своим сурчинам; как зазеленеют луга, оденется лес, кусты и зальются, защёлкают в них соловьи... Простые, но горячие слова западали мне глубоко в душу, потрясали какие-то не-

[1]Великий пост — время, когда христиане отказываются от мясной и молочной пищи (постятся).

ведомые струны и пробуждали какие-то неизвестные, томительные и сладкие чувства.

Только нам троим — отцу, мне и Евсеичу — было не грустно и не скучно смотреть на почерневшие крыши и стены строений и голые сучья дерев, на мокреть и слякоть, на грязные сугробы снега, на лужи мутной воды, на серое небо, на туман сырого воздуха, на снег и дождь, то вместе, то попеременно падавшие из потемневших низких облаков. Заключённый в доме, потому что в мокрую погоду меня и на крыльцо не выпускали, я, тем не менее, следил за каждым шагом весны. В каждой комнате, чуть ли не в каждом окне, были у нас замечены особенные предметы или места, по которым я производил мои наблюдения. Шире, длиннее становились грязные проталины, полнее наливалось озеро в роще, и, проходя сквозь забор, уже показывалась вода между капустных гряд в нашем огороде. Всё замечалось мною точно и внимательно, и каждый шаг весны торжествовался как победа!

Грачи давно расхаживали по двору и начали вить гнёзда в Грачёвой роще. Скворцы и жаворонки тоже прилетели; и вот стала появляться настоящая птица, дичь, по выражению охотников. Отец с восхищением рассказывал мне, что видел лебедей, так высоко летевших, что он едва мог разглядеть их, и что гуси потянулись большими станицами. Евсеич видел нырков и кряковых уток, опустившихся на пруд, видел диких голубей по гумнам[1], дроздов и пиголиц около родников... Сколько волнений, сколько шумной радости!

---

[1]Гумно́ — место, где ставят хлеб и где его молотят (В.И. Даль).

Вода сильно прибыла, немедленно спустили пруд — и без меня. Погода была слишком дурна, и я не смел даже проситься. Рассказы отца отчасти удовлетворили моё любопытство. С каждым днём известия становились чаще, важнее, возмутительнее![1] Наконец Евсеич с азартом объявил, что «всякая птица валом валит, без перемежки!».

2

Мало-помалу привык я к наступившей весне и к её разнообразным явлениям, всегда новым, потрясающим и восхитительным; говорю привык в том смысле, что уже не приходил в исступле́ние[2]. Погода становилась тёплая, мать без затруднения пускала меня на крылечко и позволяла бегать по высохшим местам; даже сестрицу отпускала со мной.

Несмотря, однако же, на все предосторо́жности, я как-то простудился, получил насморк и кашель и, к великому моему горю, должен был оставаться заключённым в комнатах, которые казались мне самою скучною тюрьмою, а так как я очень волновался рассказами Евсеича, то ему запретили доносить мне о разных новостях, которые весна беспрестанно приносила с собой; к тому же мать почти не отходила от меня. Она сама была не совсем здорова. В первый день напала на меня тоска, увеличившая моё лихорадочное состояние, но потом я стал спокойнее и целые дни играл, а иногда читал книжку с сестрицей, беспрестанно подбегая хоть на минуту к окнам, из которых виден был весь разлив полой воды, затопившей огород и половину сада. Можно было даже разглядеть и птицу, но мне не позволяли долго стоять у окошка. Ско-

---

[1] Здесь: беспокойнее, вызывали волнение.
[2] Здесь: в состояние сильного волнения.

рому выздоровлению моему мешала бессонница, которая, Бог знает отчего, на меня напала. Это расстраивало сон моей матери, которая хорошо спала только с вечера. По совету тётушки, для нашего усыпления позвали один раз ключницу Пелагею, которая была великая мастерица сказывать сказки и которую даже покойный дедушка любил слушать. Мать и прежде знала об этом; но она не любила ни сказок, ни сказочниц и теперь неохотно согласилась. Пришла Пелагея, немолодая, но ещё белая, румяная и дородная женщина, села у печки, подгорюнилась одною рукой и начала говорить, немного нараспев: «В некиим царстве, в некиим государстве...» Это вышла сказка под названием «Аленький цветочек»[1].

Нужно ли говорить, что я не заснул до окончания сказки, что, напротив, я не спал долее обыкновенного? Сказка до того возбудила моё любопытство и воображение, до того увлекла меня, что могла бы вылечить от сонливости, а не от бессонницы.

Мать заснула сейчас; но, проснувшись через несколько часов и узнав, что я ещё не засыпал, она выслала Пелагею, которая разговаривала со мной об «Аленьком цветочке», и сказыванье сказок на ночь прекратилось очень надолго. Это запрещение могло бы сильно огорчить меня, если бы мать не позволила Пелагее сказывать иногда

---

[1]Эту сказку, которую слыхал я в продолжение нескольких годов не один десяток раз, впоследствии выучил я наизусть и сам сказывал её, со всеми прибаутками, ужимками, оханием и вздыханием Пелагеи. Разумеется, потом я забыл свой рассказ, но теперь, восстановляя давно прошедшее в моей памяти, я неожиданно наткнулся на груду обломков этой сказки; много слов и выражений ожило для меня, и я попытался вспомнить её. Странное сочетание восточного вымысла, восточной постройки с приёмами, образами и народною нашей речью, следы прикосновения разных сказочников и сказочниц показались мне стоящими внимания. (Прим. молодого Багрова.)

мне сказки в продолжение дня. На другой же день выслушал я в другой раз повесть об «Аленьком цветочке». С этих пор до самого моего выздоровления Пелагея ежедневно рассказывала мне какую-нибудь из своих многочисленных сказок. Более других помню я «Царь-девицу», «Иванушку-дурачка», «Жар-птицу» и «Змея Горыныча». Сказки так меня занимали, что я менее тосковал о вольном воздухе, не так рвался к оживающей природе, к разлившейся воде, к разнообразному царству прилетевшей птицы.

1. Тема природы — одна из главных в книге «Детские годы Багрова-внука». Аксаков показал «поэзию природы», её влияние на человеческую душу. Перечитайте главу «Первая весна в деревне». Расскажите, какой представлялась весна Серёже со слов отца и Евсеича и какой он увидел её своими глазами.

2. Расскажите, что так потрясло мальчика, наблюдавшего пробуждение природы.

3. Что нового о характере Серёжи вы узнали из прочитанных глав? (Обратите внимание на отношение мальчика к сестре, на его восприятие природы.)

4. Расскажите историю написания сказки «Аленький цветочек».

Алексей Константинович Толстой (1817—1875)

***

Вот уж снег последний в поле тает,
Тёплый пар восходит от земли,
И кувшинчик синий расцветает,
И зовут друг друга журавли.

Юный лес, в зелёный дым одетый,
Тёплых гроз нетерпеливо ждёт;
Всё весны дыханием согрето,
Всё кругом и любит, и поёт.

1. Стихи А.К. Толстого не были написаны специально для детей, но постоянно использовались и до сих пор используются для детского чтения, потому что одинаково понятны и взрослым, и детям. Каким настроением проникнуто стихотворение о весне? Как создаётся это настроение?
2. Что вы представляете себе, когда читаете строчки: «Юный лес, в зелёный дым одетый, тёплых гроз нетерпеливо ждёт...»?
3. Расскажите, какую иллюстрацию вы бы нарисовали к этому стихотворению.

Алексей Плещеев (1825—1893)

ВЕСНА

Уж тает снег, бегут ручьи,
В окно повеяло весною...
Засвищут скоро соловьи,
И лес оденется листвою!

Чиста́ небесная лазурь,
Теплей и ярче солнце стало;
Пора метелей злых и бурь
Опять надолго миновала.

И сердце сильно так в груди
Стучит, как будто ждёт чего-то,
Как будто счастье впереди
И унесла зима заботы!

Все лица весело глядят.
«Весна!» — читаешь в каждом взоре.
И тот, как празднику, ей рад,
Чья жизнь — лишь тяжкий труд и горе.

Но резвых деток звонкий смех
И беззаботных птичек пенье
Мне говорят, кто больше всех
Природы любит обновленье!

1. В этом стихотворении можно уловить два на-
строения: радостное, счастливое и грустное.
Чем они вызваны? Какое настроение вам кажется основным!
2. Прочитайте стихотворение так, чтобы передать
и радость, и оттенок грусти.
3. О каком обновлении говорит поэт? Ведь он имеет в виду не только пробуждение природы...

Аполлон Ма́йков (1821—1897)

ВЕСНА

Посвящается Коле Трескину

Уходи, Зима седая!
Уж красавицы Весны
Колесница золотая
Мчится с го́рней вышины́![1]

Старой спорить ли, тщеду́шной,
С ней — царицею цветов,
С целой армией воздушной
Благовонных ветерков!

А что шума, что гуденья
Тёплых ливней и лучей,
И чиликанья, и пенья!..
Уходи себе скорей!

---

[1]С го́рней вышины́ — с неба.

У неё не лук, не стрелы,
Улыбнулась лишь, — и ты,
Подобрав свой са́ван[1] белый,
Поползла в овраг, в кусты!..

Да найдут и по оврагам!
Вон уж пчёл ро́й шумят,
И летит победным флагом
Пёстрых бабочек отряд!

1. Это стихотворение написано специально для детей в занимательной форме сказки-игры. Какие сказочные элементы вы видите в нём?
2. Какой показана в стихотворении весна? Из каких деталей складывается портрет сказочной красавицы Весны?
3. С каким настроением нужно читать это стихотворение?

Фёдор Тютчев (1803 — 1873)
***

Неохотно и несмело
Солнце смотрит на поля.
Чу, за тучей прогремело,
Принахмурилась земля.

Ветра тёплого порывы,
Дальный гром и дождь порой...
Зеленеющие нивы
Зеленее под грозой.

Вот пробилась из-за тучи
Синей молнии струя —
Пламень белый и летучий
Окаймил её края.

Чаще капли дождевые,
Вихрем пыль летит с полей,
И раскаты громовые
Всё сердитей и смелей.

---

[1]Са́ван — широкая белая одежда, покров из белой ткани для умерших.

Солнце раз ещё взгляну́ло
Исподлобья на поля́ –
И в сия́нье потону́ла
Вся смяте́нная[1] земля.

---

[1]Смяте́нная – находящаяся в смятении, то есть в тревоге, в волнении.

В детской литературе к теме природы впервые обратился С.Т. Аксаков. Его герой, Серёжа Багров, постепенно учится видеть, чувствовать красоту природы, и от этого он сам становится другим — добрее, душевнее. Эту мысль — об удивительном влиянии природы на человека, на его чувства — вы могли увидеть и в стихотворениях А. Майкова, Ф. Тютчева, А. Плещеева. И, конечно, вы обратили внимание на то, с какой любовью, с каким мастерством рисуют поэты картины природы.

Во второй половине XIX века мир природы приходит на страницы книг Н.А. Некрасова, К.Д. Ушинского, Л.Н. Толстого, Д.Н. Мамина-Сибиряка, а потом, уже в XX веке — М.М. Пришвина и К.Г. Паустовского, В.В. Бианки, который называл Аксакова и Мамина-Сибиряка своими литературными учителями...

Сейчас вы прочитаете стихотворение Н.А. Некрасова. Оно было написано примерно в то же время, что и стихи Майкова, Тютчева, Плещеева. Природа и человек — вот о чём размышляет поэт. Некрасов, сам страстный охотник, рассказывает в этом стихотворении о своём спутнике, тоже охотнике — старом Маза́е. Его историю Некрасов записал специально для детей — и получилось стихотворение «Дедушка Мазай и зайцы».

Н. Некрасов

Николай Некрасов (1821—1877)

Из стихотворений, посвящённых русским детям

ДЕДУШКА МАЗАЙ И ЗАЙЦЫ

1

В августе, около Малых Вежей
С старым Мазаем я бил дупелей[1].

Как-то особенно тихо вдруг стало,
На небе солнце сквозь тучу играло.

Тучка была небольшая на нём,
А разразилась жестоким дождём!

Прямы и светлы, как прутья стальные,
В землю вонзались струи дождевые

С силой стремительной... Я и Мазай,
Мокрые, скрылись в какой-то сарай.

---

[1] Дупель — птица из семейства бекасов.

Дети, я вам расскажу про Мазая.
Каждое лето домой приезжая,

Я по неделе гощу у него.
Нравится мне деревенька его:

Летом её убирая красиво,
Исстари хмель в ней родится на диво,

Вся она тонет в зелёных садах;
Домики в ней на высоких столбах

(Всю эту местность вода понимает[1],
Так что деревня весною всплывает,

Словно Венеция). Старый Мазай
Любит до страсти свой низменный край.

Вдов он, бездетен, имеет лишь внука,
Торной дорогой ходить ему — скука!

За́ сорок вёрст в Кострому прямиком
Сбегать лесами ему нипочём:

«Лес не дорога: по птице, по зверю
Выпалить можно». — А леший? — «Не верю!

___

[1] Понимает — здесь: заливает.

Раз в кураже́[1] я их звал-поджидал
Целую ночь — никого не видал!

За день грибов насбираешь корзину,
Ешь мимоходом бруснику, малину;

Вечером пеночка нежно поёт,
Словно как в бочку пустую, удо́д

Ухает; сыч разлетается к ночи,
Рожки точёны, рисованы очи.

Ночью… ну, ночью робел я и сам:
Очень уж тихо в лесу по ночам.

Тихо, как в церкви, когда отслужили
Службу и накрепко дверь затворили, —

Разве какая сосна заскрипит,
Словно старуха во сне проворчит…»

Дня не проводит Мазай без охоты.
Жил бы он славно, не знал бы заботы,

Кабы не стали глаза изменять:
Начал частенько Мазай пуделя́ть[2].

Впрочем, в отчаянье он не приходит:
Выпалит дедушка — заяц уходит,

---

[1] Кура́ж – состояние беззаботной лихости, смелости.
[2] Пуделя́ть – здесь: неточно стрелять, промахиваться.

Дедушка пальцем косому грозит:
«Врёшь — упадёшь!» — добродушно кричит.

Знает он много рассказов забавных
Про деревенских охотников славных:

Кузя сломал у ружьишка курок,
Спичек таскает с собой коробок,

Сядет за ку́стом — тете́рю подманит,
Спичку к затра́вке приложит — и грянет!

Ходит с ружьишком другой зверолов,
Носит с собою горшок угольков.

«Что ты таскаешь горшок с угольками?»
— Больно, родимый, я зябок руками;

Ежели зайца теперь сослежу,
Прежде я сяду, ружьё положу,

Над уголёчками руки погрею,
Да уж потом и палю по злодею!

«Вот так охотник!» — Мазай прибавлял.
Я, признаю́сь, от души хохотал.

Впрочем, милей анекдотов крестьянских
(Чем они хуже, однако, дворянских?)

Я от Мазая рассказы слыхал.
Дети, для вас я один записал...

2

Старый Мазай разболтался в сарае:
«В нашем болотистом, низменном крае
Впятеро больше бы дичи велось,
Кабы сетями её не ловили,
Кабы силками её не давили;
Зайцы вот тоже, — их жалко до слёз!
Только весенние воды нахлынут,
И без того они сотнями гинут, —
Нет! ещё мало! Бегут мужики,
Ловят, и топят, и бьют их баграми.
Где у них совесть?.. Я раз за дровами
В лодке поехал — их много с реки
К нам в половодье весной нагоняет, —
Еду, ловлю их. Вода прибывает.
Вижу один островок небольшой —
Зайцы на нём собралися гурьбой.
С каждой минутой вода подбиралась
К бедным зверькам; уж под ними осталось
Меньше аршина[1] земли в ширину,
     Меньше сажени[2] в длину.
Тут я подъехал: лопочут ушами,
Сами ни с места; я взял одного,
Прочим скомандовал: прыгайте сами!
Прыгнули зайцы мои, — ничего!
Только уселась команда косая,
Весь островочек пропал под водой:
«То-то! — сказал я: не спорьте со мной!
Слушайтесь, зайчики, деда Мазая!»
Этак гуторя, плывём в тишине.

---

[1] Аршин — русская мера длины, равная 70 см.
[2] Сажень— одна сажень равна трём аршинам и
равна 2,13 м.

Столбик не столбик, зайчишко на пне,
Лапки скрестивши, стоит, горемыка,
Взял и его — тягота́ не вели́ка!
Только что начал работать веслом,
Глядь, у куста копошится зайчиха —
Еле жива, а толста, как купчиха!
Я её, дуру, накрыл зипуно́м[1] —
Сильно дрожала... Не рано уж было.
Мимо бревно суковатое плыло,
Сидя, и стоя, и лёжа пластом,
Зайцев с десяток спасалось на нём.
«Взял бы я вас — да потопите лодку!»
Жаль их, однако, да жаль и находку —
Я зацепился багром за сучок
И за собою бревно поволок...

Было потехи у баб, ребятишек,
Как прокатил я деревней зайчишек:
«Глянь-ко: что делает старый Мазай!»
Ладно! Любуйся, а нам не мешай!
Мы за деревней в реке очутились.
Тут мои зайчики точно сбесились:
Смотрят, на задние лапы встают,
Лодку качают, грести не дают:
Берег завидели плу́ты косые,
Озимь, и рощу, и ку́сты густые!..
К берегу плотно бревно я пригнал,
Лодку причалил — и: «С Богом!» — сказал...

И во весь дух
Пошли зайчишки.
А я им: «У-х!
Живей, зверишки!
Смотри, косой,
Теперь спасайся,
А чур, зимой
Не попадайся!
Прицелюсь — бух!

---

[1] Зипу́н — одежда русского крестьянина: кафтан из толстого грубого сукна, обычно без ворота.

И ляжешь... Ууу-х!»
Мигом команда моя разбежалась,
Только на лодке две пары осталось —
Сильно измокли, ослабли; в мешок
Я их поклал — и домой приволок;
За ночь больные мои отогрелись,
Высохли, выспались, плотно наелись;
Вынес я их на лужок; из мешка
Вытряхнул, ухнул — и дали стречка!
Я проводил их всё тем же советом:
    «Не попадайтесь зимой!»
Я их не бью ни весною, ни летом:
Шкура плохая — линяет косой...»

1. Прочитайте описание летней грозы в стихотворении. Какие сравнения находит поэт?

2. Чем необычно описание деревеньки, в которой живёт дед Мазай?

3. Некрасов, который прекрасно знал природу как охотник и чувствовал её как поэт, создал в этом стихотворении много небольших зарисовок природы. На две из них вы уже обратили внимание. Прочтите теперь описание летней ночи. Какие ночные звуки описывает поэт? Какие сравнения он находит?

4. Что вы думаете о старом Мазае? Расскажите, какой это человек (обратите внимание, что и как он говорит о природе, о людях). Согласны ли вы, что это добрый человек? Почему?

5. Как вы думаете, нравится ли автору дед Мазай? Найдите в тексте строчки, которые подтвердили бы вашу мысль.

ПУТЕШЕСТВИЕ СЕДЬМОЕ

Школа в Ясной Поляне. Молодой учитель.
Рассказ Васи Морозова. Учебные книги

Каникулы заканчивались, и наконец в субботу утром раздался такой долгожданный стук в дверь.

— Как дела, милостивые государи? Кажется, у меня появилось свободное время, и мы можем поехать с группой наших студентов и преподавателей в Ясную Поляну, в музей-усадьбу Льва Николаевича Толстого.

...Автобус остановился у въезда в усадьбу Ясная Поляна, экскурсанты прошли по заснеженной аллее к белому двухэтажному дому. Экскурсовод рассказывал о жизни Льва Толстого в Ясной Поляне. Вот он закончил рассказ о «Дереве бедных» — старом вязе, под которым ожидали Толстого бедные люди, приходившие к нему с разными просьбами, — и пригласил всех пройти и осмотреть дом-музей. Николай Александрович тихонько отвёл детей в сторону:

Л.Н. Толстой

— Пойдёмте, нам нужно в парк, к «среднему пруду», я приготовил для вас сюрприз.

Близнецы с недоумением смотрели на профессора. Почему он увёл их и не разрешил посмотреть дом-музей вместе со всеми?

— Друзья мои, через несколько секунд сработает автоматическое устройство нашей машины времени, и мы окажемся на этом самом месте, но в XIX веке, в 1859 году. Вы готовы?

...Знакомое ощущение лёгкости во всём теле, звон в ушах, а затем — тишина. Оля открыла глаза. Заснеженный пруд, аллеи, дом вдалеке. Кажется, всё то же. Не сработала машина? Хотя нет, что-то неуловимо изменилось. Кажется, деревья стали ниже, гуще парк.

— Смотрите туда! — крикнул вдруг Игорь, показывая на противоположный берег пруда. Николай Александрович и Оля увидели, что с крутой горы едут широкие деревянные сани с оглоблями, но без лошади, в санях — куча ребятишек, а среди них — человек с чёрной бородой. Сани зацепились за что-то, наклонились, и все сидящие в них с визгом и хохотом дружно свалились в сугроб. Получилась куча-мала, в которой весело барахтались малыши. Из этой кучи безуспешно пытался выбраться рослый молодой человек с чёрной бородой.

Наши близнецы узнали его. Это был Лев Николаевич Толстой. Пока ребята наблюдали за весёлым катанием с горы, Николай Александрович успел рассказать немного о том, как в 1859 году Лев Толстой открыл в своём имении Ясная Поляна бесплатную школу для крестьянских детей. Он сам был в этой школе учителем, сам писал для своих маленьких учеников книги для чтения.

— А можно нам поговорить с кем-нибудь из этих детей, очень хочется познакомиться, можно?

— Конечно, для этого мы здесь. Смотрите, ребята расходятся по домам, давайте попробуем поговорить вот с этим «мужичком с ноготок». Такой симпатичный малыш. Он как раз идёт сюда.

— Мальчик, можно тебя спросить, кто это с вами сейчас с горки катался? — спросила вежливая Оля, когда мальчик лет семи, весь в снегу, поравнялся с ними.

— Учитель наш, граф Лев Николаевич. Он с нами часто играет после уроков.

— Тебя как зовут? Меня Игорь, а это Оля и Николай Александрович, — вступил в разговор Игорь.

Дом Л.Н. Толстого в Ясной Поляне

— Морозов я, Васька. Лев Николаевич меня Васька-кот зовёт. Он весёлый.

— Расскажи нам про вашу школу, Вася, — попросила Оля.

— Не могу я, домой надо, мамке помочь.

— А мы тебя проводим, можно? А по дороге ты нам расскажешь.

— Будь по-вашему, — солидно произнёс Вася. — Пошли, коли охота.

Вот что рассказал нашим героям Вася Морозов.

«Ранней осенью нам оповестили по деревне, Ясной Поляне, о желании Льва Николаевича открыть школу и о том, чтобы желающие дети приходили учиться, что школа открывается бесплатная. Я помню, какая была суматоха.

На проулок стали собираться ребята, некоторых их отцы и матери провожали, каждый своего. Шествие тронулось, и я позади всех, провожаемый своей сестрой. Через несколько минут мы стояли перед домом Льва Николаевича. Шушукаются ребята между собой.

Одна секунда, и на крыльце появился человек, наш учитель. Все обнажили головы и низко поклонились. Я с замиранием сердца ухватился за сестру и стоял за ней, как за маленькой крепостью.

— Ну вот, я очень рад, — сказал он, улыбаясь и осматривая всех, потом быстро пронизал глазами толпу, отыскивая маленьких, что спрятались за отца или за мать. Он вошёл в середину толпы и начал спрашивать первого мальчика:

Ученики Яснополянской школы

— Как тебя звать?

— Данилка.

— А фамилия твоя?

— Козлов.

Поворачиваясь в другую сторону, Лев Николаевич наткнулся на мою сестру.

— Ты что, учиться пришла? Будешь учиться? И девочки приходите.

Очередь дошла до меня.

— Ты что, учиться хочешь?

И глаз на глаз я стоял перед учителем и трясся, как осиновый лист.

— Хочу, — ответил я ему робко.

— Как тебя звать?

— Васька.

— А фамилию знаешь свою? — спросил он, и мне показалось: он смотрел на меня, как на за́моруха[1].

— Морозов.

— Ну, я тебя буду помнить, Морозов Васька-кот, — и улыбнулся, и лицо его показалось мне одобрительным. Мы будто как виделись когда-то с ним раньше.

— Ну, Морозов, пойдём. Макаров, Козлов, идите все за мной.

Мы поднялись по длинной лестнице и очутились в большой комнате, высокой, как молотильный сарай. Потолок был чистый, пол тоже хороший, чище наших столов, на стенах висели какие-то картины.

В другой комнате так же было светло, пол и потолки чистые, так же высоко. Картин не было. Посредине комнаты стояли длинные скамейки и такие же длинные столы. На стене висели две чёрные доски. Тут же на полочке лежал мелок. В углу стоял шкап с какими-то книгами, бумагами и грифельными досками.

— Ну вот, здесь будет наша школа, все будем учиться. А если будет тесно, мы займём и здесь, — указал он на первую комнату.

---

[1] Здесь: как на заморыша.

— Я думаю, вы ещё не все собрались. — И он обвёл нас всех глазами, и вопросительный взгляд его остановился с улыбкой на мне.

Я растерялся, и мы никто ничего не отвечали. Не добиваясь от нас ответа, видя нашу застенчивость, он взял мелок и сказал:

— Мы сегодня заниматься не будем, а завтра, — и начал писать на чёрной доске буквы А, Б, В, Г, Д, Ж, — вот с завтрашнего дня мы так начнём учиться.

Он начинал спрашивать у нас отдельно то у того, то у другого:

— Козлов, сколько тебе лет?

— Двенадцать.

— А что ты летом делал?

— Пахал, скородил[1].

— Это хорошо. Помогал отцу?

— Да, помогал. Он лешил[2], а я запахивал.

— А ты, Макаров?

— И я пахал.

— А ты?

— И я пахал, скородил, лошадей стерёг.

Все оказались помощниками своих семей.

— Теперь я вас запишу, как звать и фамилии, — взял перо, бумагу. — Ну, Морозов, Макаров, Козлов, Фоканов, Воробьёв, — и так далее. Кажется, всех я вас записал, двадцать два человека. Завтра приходите пораньше. Будем учиться. Прощайте. Приходите. Я буду ждать.

Мы вышли из школы, прощаясь с своим дорогим учителем, обещаясь завтра рано приходить. Восторгу нашему не было конца. Мы друг другу рассказывали, будто как из нас кто не был, как он выходил, как спрашивал, как разговаривал, как улыбался.

---

[1] Скородить — то же, что боронить: рыхлить землю бороной.

[2] Лешить — отмечать пучками соломы на пашне полосы для правильного раскидывания семян.

— А ведь хороший он. А такой дюжой, гладкий и некрасивый. Борода чёрная, как цыганская. А волосы, как у нас, длинные, нос широкий. А как окинул нас глазами, я сразу испугался. А как начал спрашивать да улыбаться, тут он мне понравился, и я будто перестал бояться, — так рассказывал Кирюшка, и действительно, так все чувствовали.

— А в нём пудов, пудов, должно, будет, — заключил Макаров.

На другое утро мы как бы по сигналу собрались дружно... потянулись лентой по лестнице и взошли в знакомую комнату, прошли в другую, где были чёрные доски и где ещё не были смараны вчерашние буквы. Мы свернулись клубочком, тесно стояли около чёрной доски, посматривая на буквы. Тишина была мёртвая, никто не шептался между собой, каждый думал, что Бог даст. Вдруг издали звонко, весело раздалось: «А, Б, В, Д». И частые шаги послышались по первой комнате. И к нам взошёл вчерашний знакомый, наш учитель, дюжой, чёрный.

— Здравствуйте. Все пришли?

— Все, — робкими голосами отвечали на вопрос его каждый за себя...

— Ну, теперь будем заниматься, начнём учиться, — он взял мелок и написал все остальные буквы.

— Ну, теперь говорите за мной, — затем взял палочку, которая служила указкой, и воткнул указкой в первую букву. — Ну, говорите за мной: а, бе, ве.

Переводя указку на другие буквы: ге, де, же, сделал запятую, поворачивая опять к первой букве.

— Это а, бе... — и так далее до отметки.

Мы тянули нараспев за ним, поначалу потиху, без голосу, но дальше удвоили голоса, громче и громче твердили за ним. Каждому хотелось, чтобы и его голос был слышен, и мы до того распелись, что потеряли всё приличие, — сперва боялись даже взглянуть на Льва Николаевича, а то так разошлись, что его стеснили, и несколько рук держались за его блузу.

— Вот и прекрасно. Кто может повторить? Я буду спрашивать, — сказал Лев Николаевич, тыкая в первую букву указкой. — Это что?

У нас вышло замешательство, хотя знали и запомнили первую букву, но что-то оторвалось, будто боялись своего голоса.

— Вы забыли? Кто скажет из вас, кто помнит? — и свой взгляд он перевёл на доску. Он понял нас, что взглядом мешает нашему ответу.

В этот момент я пропищал как бы не своим голосом, а будто чьим-то чужим, скороговоркой:

— А.

За мною дружно потянули все.

— Так, хорошо. Дальше. Это что?

Опять заминка. Я опять тявкнул, но неправильно:

— Би.

За мною послышались голоса:

— Бе.

Прошла в учении неделя, за ней другая, скользнул месяц.

Незаметно кончилась осень. Наступила зима. Мы успели ознакомиться хорошо со стенами школы, успели привыкнуть душою ко Льву Николаевичу...»

(Из воспоминаний ученика Яснополянской школы Василия Морозова)

...Было совсем поздно, когда экскурсионный автобус остановился у дома на Остоженке. Всю длинную дорогу от Ясной Поляны до Москвы Николай Александрович рассказывал о детских книгах, которые написал Толстой. Игорь и Оля узнали, что над «Азбукой» писатель работал около двадцати лет, начал её ещё в 1859-м, а закончил в середине 70-х годов. Там было всё: рассказы, очерки, басни, сказки. Толстой написал ещё и четыре тома «Русских книг для чтения», куда вошли более ста его новых сказок и рассказов. «Рассказы, басни, написанные в книжках, есть просеянные из в двадцать раз бо́льшего количества приготовленных рассказов, и каждый из них был переделыван по десять раз и стоил мне бо́льшего труда, чем какое бы то ни было место из всех моих писаний», — так сам Толстой говорил о своей работе над книгами для детей.

Ребята, в этом путешествии вы услышали рассказ Васи Морозова о школе Льва Толстого. Позже, став взрослым, Василий Морозов запишет свой рассказ, назовёт его «Яснополянская школа (из воспоминаний ученика)». Воспоминания эти опубликованы в книге «Сад Толстого».

1. Почему Лев Толстой решил открыть в Ясной Поляне школу для крестьянских детей?
2. Каким человеком вам представляется Лев Толстой по воспоминаниям его ученика?
3. Василий Морозов — только один из учеников Яснополянской школы. Он учился у Льва Толстого четыре года. Попробуйте сказать, судя только по его воспоминаниям, какого человека вырастил и воспитал Толстой. Обязательно обратите внимание и на то, каким языком написаны воспоминания.

Лев Толстой (1828—1910)
Из произведений для детей

ДВА БРАТА
(сказка)

Два брата пошли вместе путешествовать. В полдень они легли отдохнуть в лесу. Когда они проснулись, то увидали — подле них лежит камень и на камне что-то написано. Они стали разбирать и прочли:

«Кто найдёт этот камень, тот пускай идёт прямо в лес, на восход солнца. В лесу придёт — река: пускай плывёт через эту реку на другую сторону. Увидишь медведицу с медвежатами: отними медвежат у медведицы и беги без оглядки прямо в гору. На горе увидишь дом и в доме том найдёшь счастье».

Братья прочли, что было писано, и меньшой сказал:

— Давай переплывём эту реку, пойдём вместе. Может быть, мы донесём медвежат до дому и вместе найдём счастье.

Тогда старший сказал:

— Я не пойду в лес за медвежатами и тебе не советую. Первое дело: никто не знает — правда ли написана на этом камне; может быть, всё это написано на смех. Да, может быть, мы и не так разобрали. Второе: если и правда написана — пойдём мы в лес, придёт ночь, мы не попадём на реку и заблудимся. Да если и найдём реку, как мы переплывём её? Может быть, она быстра и широка? Третье: если и переплывём реку — разве лёгкое дело отнять у медведицы медвежат: она нас задерёт, и мы, вместо счастья, пропадём ни за что. Четвёртое дело: если нам и удастся унести медвежат, — мы не добежим без отдыха в гору. Главное же дело, не сказано: какое счастье мы найдём в этом доме? Может быть, нас там ждёт такое счастье, какого нам вовсе не нужно.

А меньшой сказал:

— По-моему, не так. Напрасно этого писать на камне не стали бы. И всё написано ясно. Первое дело: нам беды не будет, если и попытаемся. Второе дело: если мы не пойдём, кто-нибудь другой прочтёт надпись на камне и найдёт счастье, а мы останемся ни при чём. Третье дело: не потрудиться да не поработать — ничто в свете не радует. Четвёртое: не хочу я, чтоб подумали, что я чего-нибудь да побоялся.

Тогда старший сказал:

— И пословица говорит: искать бо́льшего счастья — малое потерять; да ещё: не сули журавля в небе, а дай синицу в руки.

А меньшой сказал:

— А я слыхал: волков бояться, в лес не ходить; да ещё: под лежачий камень вода не потечёт. По мне, надо идти.

Меньшой брат пошёл, а старший остался.

Как только меньшой брат вошёл в лес, он напал на реку, переплыл её и тут же на берегу увидал медведицу. Она спала. Он ухватил медвежат и побежал без оглядки на гору. Только что добежал доверху, выходит ему навстречу народ, подвезли ему карету, повезли в город и сделали царём.

Он царствовал пять лет. На шестой год пришёл на него войной другой царь, сильнее его; завоевал город и прогнал его. Тогда меньшой брат пошёл опять странствовать и пришёл к старшему брату.

Старший брат жил в деревне ни богато, ни бедно. Братья обрадовались друг другу и стали рассказывать про свою жизнь.

Старший брат и говорит:

— Вот и вышла моя правда: я всё время жил тихо и хорошо, а ты хоть и был царём, зато много горя видел.

А меньшой сказал:

— Я не тужу, что пошёл тогда в лес на гору; хоть мне и плохо теперь, зато есть чем помянуть мою жизнь, а тебе и помянуть-то нечем.

1. В чём мудрость этой сказки, её главная мысль?

2. Лев Толстой очень просто, понятно говорит в этой сказке о серьёзных вещах: о том, как по-разному можно прожить жизнь, потому что по-разному люди понимают, в чём смысл жизни и в чём счастье. А как считаете вы: кто из двух братьев прав?

3. В сказке «Два брата» много пословиц. Подумайте, как помогают они понять смысл сказки.

КАКАЯ БЫВАЕТ РОСА НА ТРАВЕ
(описание)

Когда в солнечное утро, летом, пойдёшь в лес, то на полянах, в траве, видны алмазы. Все алмазы эти блестят и переливаются на солнце разными цветами — и жёлтым, и красным, и синим. Когда подойдёшь ближе и разглядишь, что это такое, то увидишь, что это капли росы собрались в треугольных листах травы и блестят на солнце.

Листок этой травы внутри мохнат и пушист, как бархат. И капли катаются по листку и не мочат его.

Когда неосторожно сорвёшь листок с росинкой, то капелька скатится, как шарик светлый, и не увидишь, как проскользнёт мимо стебля. Бывало, сорвёшь такую чашечку, потихоньку поднесёшь ко рту и выпьешь росинку, и росинка эта вкуснее всякого напитка кажется.

1. Из каких деталей складывается это описание?
2. Докажите, что автор этого описания любит природу, умеет вглядываться в неё и видеть её красоту.

КАК ХОДЯТ ДЕРЕВЬЯ
(рассказ)

Раз мы вычищали на полубугре подле пруда заросшую дорожку. Много нарубили шиповника, лозины, тополя — потом пришла черёмуха. Росла она на самой дороге и была такая старая и толстая, что ей не могло быть меньше десяти лет. А пять лет тому назад — я знал, что сад был чищен. Я никак не мог понять, как могла тут вырасти такая старая черёмуха. Мы срубили её и прошли дальше. Дальше, в другой чаще, росла другая такая же черёмуха, даже ещё потолще. Я осмотрел её корень и нашёл, что она росла под старой липой. Липа своими сучьями

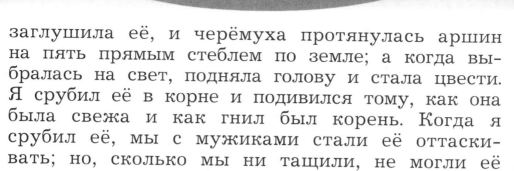

заглушила её, и черёмуха протянулась аршин на пять прямым стеблем по земле; а когда выбралась на свет, подняла голову и стала цвести. Я срубил её в корне и подивился тому, как она была свежа и как гнил был корень. Когда я срубил её, мы с мужиками стали её оттаскивать; но, сколько мы ни тащили, не могли её сдвинуть: она как будто прилипла. Я сказал:

— Посмотри, не зацепили ли где.

Работник подлез под неё и закричал:

— Да у ней другой корень, вот на дороге!

Я подошёл к нему и увидал, что это была правда.

Черёмуха, чтобы её не глушила липа, перешла из-под липы на дорожку, за три аршина от прежнего корня. Тот корень, что я срубил, был гнилой и сухой, а новый был свежий. Она почуяла, видно, что ей не жить под липой, вытянулась, вцепилась сучком за землю, сделала из сучка корень, а тот корень бросила. Тогда только я понял, как выросла та первая черёмуха на дороге. Она то же, верно, сделала, но успела уже совсем отбросить старый корень, так что я не нашёл его.

1. Какими маленькими открытиями хотел поделиться автор с читателями?
2. Как вы поняли заглавие рассказа?
3. У Льва Толстого в его «Новой азбуке» и «Русских книгах для чтения» очень много рассказов о природе. Как вы думаете почему?
4. Как бы вы объяснили, почему в книги для чтения Толстой включил произведения самых разных жанров: сказки, художественные и научно-познавательные рассказы, описания, басни?

Прошло несколько дней после путешествия в Ясную Поляну. Игорь и Оля прочитали книгу «Л.Н. Толстой для детей». Как-то вечером дети пригласили Николая Александровича к чаю. Скоро разговор зашёл о книгах Льва Толстого, и Оля спросила:

— Николай Александрович, а книги для чтения писал в то время только Лев Толстой?

— Конечно нет. Немного раньше, в 1861 году, когда Толстой ещё работал над своей «Азбукой», появилась учебная книга «Детский мир и хрестоматия», а три года спустя — «Родное слово». Их автором был Константин Дмитриевич Ушинский. В подзаголовке к первой книге автор назвал её так: «Книга для классного чтения, приспособленная к постоянным умственным упражнениям и наглядному знакомству с предметами природы». Это своего рода энциклопедия для маленьких читателей: «Первое знакомство с детским миром» (статьи и рассказы о школе, о временах года, о человеке), «Из природы» (очерки о животных, деревьях, грибах и т.д.), «Первое знакомство с Родиной» (поездка из столицы в деревню; исторические очерки, отрывки из летописей, из исторических произведений А. Пушкина, Н. Карамзина, А.К. Толстого), «Из географии», «Первые уроки логики». А в «Хрестоматии» — стихи, басни, рассказы Пушкина, Крылова, Даля, Жуковского, Майкова...

Автором многих статей был сам Ушинский. Ему принадлежат и многочисленные рассказы о животных.

— А можно нам почитать эту книгу? — спросил Игорь. — Очень хочется посмотреть, по каким учебникам учились дети больше ста лет назад.

— Конечно можно. У меня есть издание «Детского мира и хрестоматии» 1901 года. Это тридцать девятое издание книги Ушинского!

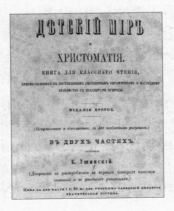

Константин Ушинский (1824—1870)
из книги
«ДЕТСКИЙ МИР И ХРЕСТОМАТИЯ»

ПЕРВОЕ ЗНАКОМСТВО С РОДИНОЙ, ПОЕЗДКА ИЗ СТОЛИЦЫ В ДЕРЕВНЮ

Столица и губернский город

Володя и Лиза во всю свою жизнь ни разу не выезжали из Петербурга. Можно себе представить, как они обрадовались, когда отец сказал им, что они на целое лето поедут в деревню, за несколько сот вёрст.

В день, назначенный для отъезда, все заняты были укладкой вещей и приготовлением к длинному путешествию. Часам к четырём, когда всё было готово, маленькая семья уселась в экипаж, и колёса его запрыгали по каменной мостовой.

Улицы через две экипаж выехал на **набережную** Невы и поехал по длинному каменному мосту с чугунными перилами, сделанными точно из кружев. На широкой величественной реке мелькали сотни лодок, летели один за другим дымящиеся пароходы, а вдали, как лес, стояли бесчисленные мачты стройных судов. Великолепная гранитная набережная, уставленная дворцами, величественные церкви, обширные, красивые площади, широкие, богатые, шумные улицы, чудесные памятники — всё это дети видали уже часто, и всё это им было не в диковину.

За мостом экипаж поехал по одной из лучших улиц **столицы**. Сплошные ряды громадных каменных домов подымались высокими стенами по обеим сторонам. Тысячи раззолочённых вывесок пестрели на домах. За огромными окнами великолепных магазинов и богатых лавок были выставлены и разложены самые разнообразные товары. Здесь было всё что угодно: золотые и серебряные вещи, чудные изделия из дорогих каменьев, роскошные материи для платьев, шитые костюмы, картины, статуэтки, книги, часы, игрушки, конфеты и пирожки, редкие дорогие фрукты, заманчиво разложенная зелень… Но у крыльца одного из таких магазинов дети заметили бедняка в лохмотьях, который робко посматривал вокруг, не подаст ли ему кто-нибудь гроша, а этот грош нужен был ему для куска хлеба, одежды и найма квартиры где-нибудь в подвале этих роскошных домов.

Блестящие экипажи неслись по мостовой; разряженные толпы народа двигались по тротуарам; беспрестанно попадались навстречу конные и пешие отряды солдат, оружие которых сверкало

Извозчик на площади перед Николаевским вокзалом в Петербурге

на солнце. Но Володе и Лизе хотелось поскорее за город: в леса, в поля, в деревню.

Проехав ещё несколько улиц, экипаж, в котором ехали наши путешественники, остановился у большого каменного здания — станции железной дороги. Возни и суеты здесь было немало. То и дело подъезжали экипажи, нагруженные вещами. Люди с номерами на груди разгружали вещи и на маленьких тележках или просто на спине таскали большие тяжести, сундуки, чемоданы, ящики для сдачи их в багаж. Володю и Лизу отвели в зал, где сидели пассажиры в ожидании поезда. Но вот раздался звонок, распахнулась огромная дверь, и все устремились на платформу, у которой стоял уже поезд, готовый к отходу. Все старались поскорее занять места в вагонах. В один из вагонов усадили Володю и Лизу, разместив на сетке ручной багаж. Спустя некоторое время за первым звонком раздался второй и третий, послышался свисток кондуктора, и поезд тронулся. Скоро наши маленькие путешественники заснули и спали долго и крепко, как спят только усталые дети, при небольшой убаюкивающей качке вагона, под усыпительный стук поезда.

Очень рано поутру, когда солнце только что встало, Александр Сергеевич разбудил разоспавшихся детей, говоря, что сейчас они приедут в город, от которого придётся им до деревни ещё долго ехать не по железной дороге, а на лошадях, в экипаже. Дети насилу могли вспомнить, что с ними делается, где они; но едва только мелькнула у них мысль, что они в дороге, на пути в деревню, едут в вагоне, как сна будто и не бывало! Весело и бодро вскочили они и с любопытством стали осматриваться кругом.

Город, где наши путешественники должны были выйти и пересесть в дорожный тарантас, чтобы продолжать путь дальше, был **губе́рнский**. По сравнению с столицей он показался Володе и

Лизе очень небольшим и бедным. Хотя по улицам его была каменная мостовая и часто попадались большие каменные дома; но между домами не много было таких, к каким дети привыкли в столице. Из них наиболее выделялись: губерна́торский дом, новые прису́тственные места, высокий прекрасный собор, несколько старинных церквей и два больших здания мужской и женской гимназии. Все эти строения могли бы, как казалось детям, стоять без стыда и на петербургских улицах. Но гостиный двор посреди огромной, пустой площади показался им и мал, и беден, и грязен. Тут были и хорошие на вид магазины, но какое сравнение с петербургскими вывесками! Народу и экипажей на улицах несравненно меньше. При выезде из города дети заметили вдали, так же как и на окраине Петербурга, несколько больших фабрик с высокими закоптелыми трубами.

Проехав некоторое время по шоссе, гладкому, прямому, как стрела, с каменными мостиками, пёстрыми верстовыми и высокими телеграфными столбами, экипаж свернул на мягкую, простую почтовую дорогу.

Почтовый колокольчик звонко побрякивал в чистом утреннем воздухе. Ямщику понадобилось поправить у́пряжь пристя́жных лошадей: он

Виды уездных городов России конца XIX века

остановил тройку и слез с ко́зел. Прежде всего поразила детей глубокая тишина, царствовавшая в полях. Только где-то высоко пел невидимый жаворонок. Серебряные трели его вольной песни звонко раздавались в прозрачном чистом воздухе, наполненном благоуханиями полей. По обеим сторонам дороги, по волнистым холмам подымались полосы разноцветных нив, то покрытых зеленеющими хлебами, то чёрных, отдыхающих **под паром.** На горизонте, где небо сходится с землёю, тянулась синяя, зубчатая полоса далёкого леса. В стороне, между двумя длинными холмами, виднелись соломенные крыши большого **села,** разбросанного на скате. Позолоченный крест сельской церкви ярко горел на солнце. С другой стороны можно было заметить вдали небольшую **деревню,** в которой не было церкви.

Дети молчали: новость и прелесть сельской картины глубоко на них подействовала.

Деревня и уездный город

Наши путешественники проехали много маленьких **деревень.** В иных всего-то было 10 или 15 домов, низеньких, пошатнувшихся набок, с почерневшими бревенчатыми стенами, с полусгнившими соломенными крышами. Много проехали они и больших **сёл** с большими прекрасными церквами, вблизи которых большею час-

тью помещались хорошенькие домики сельских школ и где попадалось несколько домов почище других и две-три маленькие грязные лавочки, в которых дёготь и баранки, пряники и колёса продавались вместе. Эти лавочки были беднее товаром, меньше и грязнее на вид самой жалкой из мелочных лавок столицы.

Наши путешественники проехали также один уездный город.

Уездный город был меньше и беднее губернского: три, четыре мощёные улицы, обставленные низенькими деревянными домами; длинные, иногда полуразвалившиеся заборы, огороды и сады посреди города; деревянные столбики вместо тротуаров; коровы и свиньи, бродящие по улицам; пустота, тишина, отсутствие движения! Были тут, впрочем, и каменные дома, несколько церквей, собор, окружённый садиком, небольшое здание городского училища и площадь, на которой помещались десятка два лавок и каменные **присутственные места**, выкрашенные когда-то жёлтою охрою. Всё это, а также вывески магазинов и попадавшиеся им городские экипажи, доказывало, что это не деревня, а город.

Просёлочная дорога

Наши путешественники свернули с большой **почтовой дороги** на **просёлочную**.

На просёлочной дороге картина несколько изменилась, да и ехать было гораздо беспокойнее. Колёса широкого тарантаса не попадали в глубокие колеи, прорезанные узкими крестьянскими телегами. Тарантас ехал как-то боком, и тряска увеличилась. Но дети не обращали на неё большого внимания: так занимало их всё, что они видели. По обеим сторонам дороги стояла высокая густая рожь. Она уже отцвела, налилась и начинала желтеть. Золотистыми, колеблющимися волнами разливалась она по обе стороны на необозримое пространство. Во ржи синело такое множество васильков, что дети, выйдя из экипажа, мигом нарвали два огромных пучка. Скоро два венка, сплетённые искусными ручками Лизы, свежие, синие и блестящие, перевитые с колосьями ржи, украсили русые головки детей.

На дороге почти никто не попадался. Изредка только проедет мужик с тяжёлой сохой, пройдёт косарь с блестящей косой или вдали покажется пастух и пёстрое стадо. Здесь деревни были уж настоящие деревни: глухие, безмолвные, окружённые полями, лугами и лесами. Подъезжая к деревне, извозчик должен был всякий раз вставать с ко́зел и отпирать скрипучие ворота око́лицы. Утлая огоро́жа, сделанная из жерде́й и кольев для того, чтобы скот, выходя из деревни, не вытаптывал полей, задолго ещё предупреждала наших путешественников, что они приближаются к деревне.

Наступила рабочая летняя пора, и деревни были почти совершенно пусты. Все крестьяне были в поле, на работе; только ребятишки играли на улицах да какая-нибудь старуха выходила набрать воды в колодце и немилосе́рдно скрипела длинным шестом, опуская бадью́ в воду.

Наше отечество

Наше отечество, наша родина — **матушка Россия. Отечеством** мы зовём Россию потому, что в ней жили испоко́н ве́ку[1] отцы и деды наши. **Родиной** мы зовём её потому, что в ней мы родились, в ней говорят родным нам языком и всё в ней для нас родное; **матерью** — потому, что она вскормила нас своим хлебом, вспоила своими водами, выучила своему языку; как мать, защищает и бережёт нас от всяких врагов, и, когда мы уснём навеки, она прикроет и кости наши.

Велика наша родина — **мать-свято-Русская земля!** От запада к востоку тянется она почти на **одиннадцать тысяч вёрст**; а от севера к югу на **четыре с половиною.** Не в одной, а в двух частях света раскинулась Русь: **в Европе** и **Азии.**

Азиатская Россия по пространству втрое больше Европейской, но наиболее обширную часть её составляет суровая и ещё очень малолюдная Си-

---

[1] Испоко́н ве́ку — издавна, с давних времён.

бирь. По ней бродят дикие инородцы, но есть уже теперь в ней довольно хороших русских городов и богатых сёл. Сибирь — сторона богатая. В её горах и по её рекам много простых и драгоценных металлов, а в её тёмных лесах много пушных зверей с дорогими мехами.

Другие части Азиатской России — **Кавказ** и **Средняя Азия**, где русские владения подошли уже к очень высоким горам и проникли в самое сердце Азии.

Самая населённая и образованная часть России — в Европе. В Европейской России обе наши столицы: нынешнее местопребывание Правительства — Санкт-Петербург и первопрестольная Москва да множество **губернских** и **уездных** городов, а сёлам и деревням так и счёту нет.

В России около ста (96) губерний и областей, много различных племён и народов, и кормит она сто тридцать миллионов людей. Все эти губернии, все эти миллионы людей повинуются одному государю — Православному Русскому Царю.

Много есть на свете и кроме России всяких хороших государств и земель, но одна у человека родная мать — одна у него и родина.

1. Обратите внимание на выделенные автором слова. Вы догадались, для чего они выделены? Что должны были узнать маленькие читатели в разделе «Первое знакомство с Родиной»?
2. Как вы думаете, почему автор избрал для этого раздела форму путешествия?
3. Вы понимаете, конечно, что нельзя заставить человека полюбить свою Родину, родную землю. Но можно помочь её полюбить. Как это делает К.Д. Ушинский?

Константин Ушинский (1824—1870)

ЖАЛОБЫ ЗАЙКИ

Растужи́лся, расплакался серенький зайка, под кустиком си́дючи; плачет, приговаривает:

«Нет на свете доли хуже моей, серенького зайки! И кто только не точит зубов на меня! Охотники, собаки, волк, лиса и хищная птица; кривоносый ястреб, пучеглазая сова; даже глупая ворона и та таскает своими кривыми лапами моих милых детушек — сереньких зайчат. Отовсюду грозит мне беда, а защищаться-то нечем: лазить на дерево, как белка, я не могу; рыть нор, как кролик, не умею. Правда, зубки мои исправно грызут капустку и кору гложут, да укусить смелости не хватает. Бегать я таки мастер и прыгаю недурно; но хорошо, если придётся бежать по ровному полю или на гору, а как под гору — то и пойдёшь кувырком через голову: передние ноги не доросли.

Всё бы ещё можно жить на свете, если б не трусость негодная. Заслышишь шорох, — уши подымутся, сердчишко забьётся, не взви́дишь света, пы́рскнешь из куста, — да и угодишь прямо в тенёта[1] или охотнику под ноги.

Ох, плохо мне, серенькому зайке! Хитришь, по кустикам прячешься, по закочками слоняешься, следы путаешь; а рано или поздно беды не миновать: и потащит меня кухарка на кухню за длинные уши.

Одно только и есть у меня утешение, что хвостик коротенький: собаке схватить не за что. Будь у меня такой хвостище, как у лисицы, куда бы мне с ним деваться? Тогда бы, кажется, пошёл и утопился».

---

[1] Тенёта — сеть для ловли зверей.

1. Из этого небольшого рассказа можно много узнать о зайцах: как они живут, чем питаются, какие у них лапы и какой хвост, от каких врагов приходится зайцам спасаться и т.д. Попробуйте составить устный рассказ о зайце по этому плану. Правда, он получится не таким, как у автора, и больше похожим на статью из энциклопедии или из учебника. Почему?

2. Как удалось К.Д. Ушинскому сделать свой рассказ о зайчике не просто интересным и познавательным, но художественным произведением? Обратите внимание на заглавие. Подумайте, кто герой рассказа. Похож ли он на сказочного героя? Почему вы так думаете? Можно ли говорить об отношении автора к своему герою?

3. Ребята, Николай Александрович дал Игорю и Оле почитать 39-е издание книги Ушинского «Детский мир и хрестоматия». Значит, если первое издание было в 1861 году, эта книга переиздавалась почти каждый год. Как вы думаете почему? Чем могла привлекать эта книга маленьких читателей и их учителей?

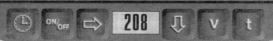

Александр Куприн (1870—1938)

СЛОН

1

Маленькая девочка нездорова. Каждый день к ней ходит доктор Михаил Петрович, которого она знает уже давным-давно. А иногда он приводит с собою ещё двух докторов, незнакомых. Они переворачивают девочку на спину и на живот, слушают что-то, приложив ухо к телу, оттягивают вниз глазные веки и смотрят. При этом они как-то важно посапывают, лица у них строгие, и говорят они между собою на непонятном языке.

Потом переходят из детской в гостиную, где их дожидается мама. Самый главный доктор — высокий, седой, в золотых очках — рассказывает ей о чём-то серьёзно и долго. Дверь не закрыта, и девочке с её кровати всё видно и слышно. Многого она не понимает, но знает, что речь идёт о ней. Мама глядит на доктора большими, усталыми, заплаканными глазами. Прощаясь, главный доктор говорит громко:

— Главное, не давайте ей скучать. Исполняйте все её капризы.

— Ах, доктор, но она ничего не хочет!

— Ну не знаю... вспомните, что ей нравилось раньше, до болезни. Игрушки... какие-нибудь лакомства...

— Нет, нет, доктор, она ничего не хочет...

— Ну постарайтесь её как-нибудь развлечь... Ну хоть чем-нибудь... Даю вам честное слово, что если вам удастся её рассмешить, развеселить, то это будет лучшим лекарством. Поймите же, что ваша дочка больна равнодушием к жизни, и больше ничем... До свидания, сударыня!

2

— Милая Надя, милая моя девочка, — говорит мама, — не хочется ли тебе чего-нибудь?

— Нет, мама, ничего не хочется.

— Хочешь, я посажу к тебе на постельку всех твоих кукол. Мы поставим креслица, диван, столик и чайный прибор. Куклы будут пить чай и разговаривать о погоде и о здоровье своих детей.

— Спасибо, мама... Мне не хочется... Мне скучно...

— Ну хорошо, моя девочка, не надо кукол. А может быть, позвать к тебе Катю или Женечку? Ты ведь их так любишь.

— Не надо, мама. Правда же, не надо. Я ничего, ничего не хочу. Мне так скучно!

— Хочешь, я тебе принесу шоколаду?

Но девочка не отвечает и смотрит в потолок неподвижными невесёлыми глазами. У неё ничего не болит и даже нет жару. Но она худеет и слабеет с каждым днём. Что бы с ней ни делали, ей всё равно, и ничего ей не нужно. Так лежит она целые дни и целые ночи, тихая, печальная. Иногда она задремлет на полчаса, но и во сне ей видится что-то серое, длинное, скучное, как осенний дождик.

Когда из детской отворена дверь в гостиную, а из гостиной дальше, в кабинет, то девочка видит папу. Папа ходит быстро из угла в угол и всё курит, курит. Иногда он приходит в детскую, садится на край постельки и тихо поглаживает Надины ноги. Потом вдруг встаёт и отходит к окну. Он что-то насвистывает, глядя на улицу, но плечи у него трясутся. Затем он торопливо прикладывает платок к одному глазу, к другому и, точно рассердясь, уходит к себе в кабинет. Потом он опять бегает из угла в угол и всё курит, курит, курит... И кабинет от табачного дыма делается весь синий.

3

Но однажды утром девочка просыпается немного бодрее, чем всегда. Она что-то видела во сне, но никак не может вспомнить, что именно, и смотрит долго и внимательно в глаза матери.

— Тебе что-нибудь нужно? — спрашивает мама.

Но девочка вдруг вспоминает свой сон и говорит шёпотом, точно по секрету:

— Мама, а можно мне... слона? Только не того, который нарисован на картинке... Можно?

— Конечно, моя девочка, конечно, можно.

Она идёт в кабинет и говорит папе, что девоч-

ка хочет слона. Папа тотчас же надевает пальто и шляпу и куда-то уезжает. Через полчаса он возвращается с дорогой, красивой игрушкой. Это большой серый слон, который сам качает головою и машет хвостом; на слоне красное седло, а на седле золотая палатка, и в ней сидят трое маленьких человечков. Но девочка глядит на игрушку так же равнодушно, как на потолок и на стены, и говорит вяло:

— Нет. Это совсем не то. Я хотела настоящего, живого слона, а этот мёртвый.

— Ты погляди только, Надя, — говорит папа. — Мы его сейчас заведём, и он будет совсем-совсем как живой.

Слона заводят ключиком, и он, покачивая головой и помахивая хвостом, начинает переступать ногами и медленно идёт по столу. Девочке это вовсе не интересно и даже скучно, но, чтобы не огорчить отца, она шепчет кротко:

— Я тебя очень, очень благодарю, милый папа. Я думаю, ни у кого нет такой интересной игрушки... Только... помнишь... ведь ты давно обещал свозить меня в зверинец, посмотреть на настоящего слона... и ни разу не повёз...

— Но, послушай же, милая моя девочка, пойми, что это невозможно. Слон очень большой, он до потолка, он не поместится в наших комнатах... И потом, где я его достану?

— Папа, да мне не нужно такого большого... Ты мне привези хоть маленького, только живого. Ну хоть вот, вот такого... Хоть слонёнышка...

— Милая девочка, я рад всё для тебя сделать, но этого я не могу. Ведь это всё равно как если бы ты вдруг мне сказала: папа, достань мне с неба солнце.

Девочка грустно улыбается.

— Какой ты глупый, папа. Разве я не знаю, что солнце нельзя достать, потому что оно жжётся. И луну тоже нельзя. Нет, мне бы слоника... настоящего.

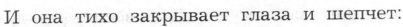

И она тихо закрывает глаза и шепчет:

— Я устала... Извини меня, папа...

Папа хватает себя за волосы и бежит в кабинет. Там он некоторое время мелькает из угла в угол. Потом решительно бросает на пол недокуренную папиросу (за что ему всегда достаётся от мамы) и кричит горничной:

— Ольга! Пальто и шляпу!

В переднюю входит жена.

— Ты куда, Саша? — спрашивает она.

Он тяжело дышит, застёгивая пуговицы пальто.

— Я сам, Машенька, не знаю куда... Только, кажется, я сегодня к вечеру и в самом деле приведу сюда, к нам, настоящего слона.

Жена смотрит на него тревожно.

— Милый, здоров ли ты? Не болит ли у тебя голова? Может быть, ты плохо спал сегодня?

— Я совсем не спал, — отвечает он сердито. — Я вижу, ты хочешь спросить, не сошёл ли я с ума? Покамест ещё нет. До свидания! Вечером всё будет видно.

И он исчезает, громко хлопнув входной дверью.

4

Через два часа он сидит в зверинце, в первом ряду, и смотрит, как учёные звери, по приказанию хозяина, выделывают разные штуки. Умные собаки прыгают, кувыркаются, танцуют под музыку, складывают слова из больших картонных букв. Неуклюжий тюлень стреляет из пистолета. Под конец выводят слонов. Их три: один большой, два совсем маленькие, карлики, но всё-таки ростом куда больше, чем лошадь. Особенно отличается самый большой слон. Он становится сначала на задние лапы, садится, становится на голову, ногами вверх, ходит по деревянным бутылкам, ходит по катящейся бочке, переворачивает хоботом страницы большой картонной книги и наконец садится за стол и, повязавшись салфеткой, обедает, совсем как благовоспитанный мальчик.

Представление оканчивается. Зрители расходятся. Надин отец подходит к толстому немцу, хозяину зверинца.

— Извините, пожалуйста, — говорит Надин отец. — Не можете ли вы отпустить вашего слона ко мне домой, на некоторое время?

— Отпустить? Слона? Домой? Я вас не понимаю.

По глазам немца видно, что он тоже хочет спросить, не болит ли у Надиного отца голова… Но отец поспешно объясняет, в чём дело: его единственная дочь Надя больна какой-то странной болезнью, которую даже доктора не понимают как следует. Она лежит уже месяц в кроватке, худеет, слабеет с каждым днём, ничем не интересуется, скучает и потихоньку гаснет. Доктора велят её развлекать, но ей ничто не нравится, велят исполнять все её желания, но у неё нет никаких желаний. Сегодня она захотела видеть живого слона. Неужели это невозможно сделать?

И он добавляет дрожащим голосом, взявши немца за пуговицу пальто:

— Ну вот… Я, конечно, надеюсь, что моя девочка выздоровеет. Но… спаси Бог… вдруг её болезнь окончится плохо… вдруг девочка умрёт?.. Подумайте только: ведь меня всю жизнь будет мучить мысль, что я не исполнил её последнего, самого последнего желания!..

Немец хмурится и в раздумье чешет мизинцем левую бровь. Наконец он спрашивает:

— Гм… А сколько вашей девочке лет?

— Шесть.

— Гм… Моей Лизе тоже шесть… Гм… Но, знаете, вам это будет дорого стоить. Придётся при-

вести слона ночью и только на следующую ночь увести обратно.

Днём нельзя. Соберётся публикум, и сделается один скандал… Таким образом, выходит, что я теряю целый день, и вы мне должны возвратить убыток.

— О, конечно, конечно… не беспокойтесь об этом…

— Потом: дозволит ли полиция вводить один слон в один дом?

— Я это устрою, позволит.

— Ещё один вопрос: позволит ли хозяин вашего дома вводить в свой дом один слон?

— Позволит. Я сам хозяин этого дома.

— Ага! Это ещё лучше. И потом ещё один вопрос: в котором этаже вы живёте?

— Во втором.

— Гм… Это уже не так хорошо… Имеете ли вы в своём доме широкую лестницу, высокий потолок, большую комнату, широкие двери и очень крепкий пол? Потому что мой Томми имеет высоту 3 аршина и 4 вершка, а в длину 5 с половиной аршин. Кроме того, он весит 112 пудов.

Надин отец задумывается на минуту.

— Знаете ли что? — говорит он. — Поедем сейчас ко мне и рассмотрим всё на месте. Если надо, я прикажу расширить проход в стенах.

— Очень хорошо! — соглашается хозяин зверинца.

5

Ночью слона ведут в гости к больной девочке.

В белой попоне он важно шагает по самой середине улицы, покачивает головой и то свивает, то развивает хобот. Вокруг него, несмотря на поздний час, большая толпа. Но слон не обращает на неё внимания: он каждый день видит сотни людей в зверинце. Только один раз он немного рассердился.

Какой-то уличный мальчишка подбежал к нему под самые ноги и начал кривляться на потеху зевакам.

Тогда слон спокойно снял с него хоботом шляпу и перекинул через соседний забор, утыканный гвоздями.

Городовой идёт среди толпы и уговаривает её:

— Господа, прошу разойтись. И что вы тут находите такого необыкновенного? Удивляюсь! Точно не видали никогда живого слона на улице.

Подходят к дому. На лестнице, так же как и по всему пути слона, до самой столовой, все двери растворены настежь, для чего приходилось отбивать молотком дверные щеколды. Точно так же делалось однажды, когда в дом вносили большую чудотворную икону.

Но перед лестницей слон останавливается в беспокойстве и упрямится.

— Надо дать ему какое-нибудь лакомство... — говорит немец. — Какой-нибудь сладкий булка или что... Но... Томми!.. Ого-го... Томми!..

Надин отец бежит в соседнюю булочную и покупает большой круглый фисташковый торт. Слон обнаруживает желание проглотить его целиком вместе с картонной коробкой, но немец даёт ему всего четверть. Торт приходится по вкусу Томми, и он протягивает хобот за вторым ломтём. Однако немец оказывается хитрее. Держа в руке лакомство, он подымается вверх со ступеньки на ступеньку, и слон с вытянутым хоботом, с растопыренными ушами поневоле следует за ним. На площадке Томми получает второй кусок.

Таким образом его приводят в столовую, откуда заранее вынесена вся мебель, а пол густо застлан соломой... Слона привязывают за ногу к кольцу, ввинченному в пол. Кладут перед ним свежей моркови, капусты и репы. Немец располагается рядом, на диване. Тушат огни, и все ложатся спать.

6

На другой день девочка просыпается чуть свет и прежде всего спрашивает:

— А что же слон? Он пришёл?

— Пришёл, — отвечает мама, — но только он велел, чтобы Надя сначала умылась, а потом съела яйцо всмятку и выпила горячего молока.

— А он добрый?

— Он добрый. Кушай, девочка. Сейчас мы пойдём к нему.

— А он смешной?

— Немножко. Надень тёплую кофточку.

Яйцо было съедено, молоко выпито. Надю сажают в ту самую колясочку, в которой она ездила, когда была ещё такой маленькой, что совсем не умела ходить, и везут в столовую.

Слон, оказывается, гораздо больше, чем думала Надя, когда разглядывала его на картинке. Ростом он только чуть-чуть пониже двери, а в длину занимает половину столовой. Кожа на нём грубая, в тяжёлых складках. Ноги толстые, как столбы. Длинный хвост с чем-то вроде помела на конце. Голова в больших шишках. Уши большие, как лопухи, и висят вниз. Глаза совсем крошечные, но умные и добрые. Клыки обрезаны. Хобот — точно длинная змея и оканчивается двумя ноздрями, а между ними подвижно́й, гибкий палец. Если бы слон вытянул хобот во всю длину, то, наверно, достал бы им до окна.

Девочка вовсе не испугана. Она только немного поражена громадной величиной животного. Зато нянька, шестнадцатилетняя Поля, начинает визжать от страха.

Хозяин слона, немец, подходит к колясочке и говорит:

— Доброго утра, барышня. Пожалуйста, не бойтесь. Томми очень добрый и любит детей.

Девочка протягивает немцу свою маленькую бледную руку.

— Здравствуйте, как вы поживаете? — отвечает она. — Я вовсе ни капельки не боюсь. А как его зовут?

— Томми.

— Здравствуйте, Томми, — произносит девочка и кланяется головой. Оттого, что слон такой большой, она не решается говорить ему на «ты». — Как вы спали эту ночь?

Она и ему протягивает руку. Слон осторожно берёт и пожимает её тоненькие пальчики своим подвижным сильным пальцем и делает это гораздо нежнее, чем доктор Михаил Петрович. При этом слон качает головой, а его маленькие глаза совсем сузились, точно смеются.

— Ведь он всё понимает? — спрашивает девочка немца.

— О, решительно всё, барышня!

— Но только он не говорит?

— Да, вот только не говорит. У меня, знаете, есть тоже одна дочка, такая же маленькая, как и вы. Её зовут Лиза. Томми с ней большой, очень большой приятель.

— А вы, Томми, уже пили чай? — спрашивает девочка слона.

Слон опять вытягивает хобот и дует в самое лицо девочки тёплым дыханием, отчего лёгкие волосы на голове девочки разлетаются во все стороны.

Надя хохочет и хлопает в ладоши. Немец густо смеётся. Он сам такой большой, толстый и добродушный, как слон, и Наде кажется, что они оба похожи друг на друга. Может быть, они родня?

— Нет, он не пил чаю, барышня. Но он с удовольствием пьёт сахарную воду. Также он очень любит булки.

Приносят поднос с булками, девочка угощает слона. Он ловко захватывает булку своим пальцем и, согнув хобот кольцом, прячет её куда-то вниз под голову, где у него движется смешная, треугольная, мохнатая нижняя губа. Слышно, как булка шуршит о сухую кожу. То же самое Томми проделывает с другой булкой, и с третьей, и с четвёртой, и с пятой и в знак благодарности кивает головой, и его маленькие глазки ещё больше суживаются от удовольствия. А девочка радостно хохочет.

Когда все булки съедены, Надя знакомит слона со своими куклами:

— Посмотрите, Томми, вот эта нарядная кукла — это Соня. Она очень добрый ребёнок, но немножко капризна и не хочет есть суп. А это Наташа. Сонина дочь. Она уже начинает учиться и знает почти все буквы. А вот это Матрёшка. Это моя самая первая кукла. Видите, у неё нет носа и голова приклеена и нет больше волос. Но всё-таки нельзя же выгонять из дому старушку. Правда, Томми? Она раньше была Сониной матерью, а теперь служит у нас кухаркой. Ну так давайте играть, Томми. Вы будете папой, а я мамой, а это будут наши дети.

Томми согласен. Он смеётся, берёт Матрёшку за шею и тащит к себе в рот. Но это только шутка. Слегка пожевав куклу, он опять кладёт её девочке на колени, правда, немного мокрую и помятую.

Потом Надя показывает ему большую книгу с картинками и объясняет:

— Это лошадь, это канарейка, это ружьё... Вот клетка с птичкой, вот ведро, зеркало, печка, лопата, ворона... А это вот, посмотрите, это слон! Правда, совсем непохоже? Разве же слоны бывают такие маленькие, Томми?

Томми находит, что таких маленьких слонов никогда не бывает на свете. Вообще ему эта картинка не нравится. Он захватывает пальцем край страницы и переворачивает её.

Наступает час обеда, но девочку никак нельзя оторвать от слона. На помощь приходит немец:

— Позвольте, я всё это устрою. Они пообедают вместе.

Он приказывает слону сесть. Слон послушно

садится, отчего пол во всей квартире сотрясается, дребезжит посуда в шкапу, а у нижних жильцов сыплется с потолка штукатурка. Напротив его садится девочка. Между ними ставят стол. Слону подвязывают скатерть вокруг шеи, и новые друзья начинают обедать. Девочка ест суп из курицы и котлетку, а слон — разные овощи и салат. Девочке дают крошечную рюмку хересу, а слону — тёплой воды со стаканом рома, и он с удовольствием вытягивает этот напиток хоботом из миски. Затем они получают сладкое — девочка чашку какао, а слон половину торта, на этот раз орехового. Немец в это время сидит с папой в гостиной и с таким же наслаждением, как и слон, пьёт пиво, только в бо́льшем количестве.

После обеда приходят какие-то папины знакомые, их ещё в передней предупреждают о слоне, чтобы они не испугались. Сначала они не верят, а потом, увидев Томми, жмутся к дверям.

— Не бойтесь, он добрый! — успокаивает их девочка.

Но знакомые поспешно уходят в гостиную и, не просидев и пяти минут, уезжают.

Наступает вечер. Поздно. Девочке пора спать. Однако её невозможно оттащить от слона. Она так и засыпает около него, и её уже сонную отвозят в детскую. Она даже не слышит, как её раздевают.

В эту ночь Надя видит во сне, что она женилась на Томми и у них много детей, маленьких, весёлых слоняток. Слон, которого ночью отвели в зверинец, тоже видит во сне милую, ласковую девочку. Кроме того, ему снятся большие торты, ореховые и фисташковые, величиною с ворота...

Утром девочка просыпается бодрая, свежая и, как в прежние времена, когда она была ещё здорова, кричит на весь дом, громко и нетерпеливо:

— Мо-лоч-ка!

Услышав этот крик, мама радостно крестится у себя в спальне.

Но девочка тут же вспоминает о вчерашнем и спрашивает:

— А слон?

Ей объясняют, что слон ушёл домой по делам, что у него есть дети, которых нельзя оставлять одних, что он просил кланяться Наде и что он ждёт её к себе в гости, когда она будет здорова.

Девочка хитро улыбается и говорит:

— Передайте Томми, что я уже совсем здорова.

1. Как вы думаете, отчего заболела маленькая Надя и что помогло ей поправиться?

2. История, рассказанная А.И. Куприным, необычна, и в то же время, читая рассказ, мы видим, что всё это могло быть на самом деле. Почему?

3. Герои многих рассказов Куприна — не только дети, но и животные (слон Томми, пудель Арто́, кошка Ю-ю), причём животные у Куприна всегда добры, справедливы, самоотверженны. Подумайте, каким показан в рассказе слон? Почему так подробно даётся его описание?

ДОРОГИЕ РЕБЯТА!

Вместе с нашими героями вы прочитали их любимые книжки и совершили путешествие к истокам русской детской литературы. Теперь вы знаете, кто написал первые стихи для детей и издавал самый первый детский журнал. Вы прочитали стихи, статьи, сказки и басни, исторические рассказы, которые читали ваши сверстники в XVII, XVIII, XIX веках. Вы увидели, как зарождалась детская литература и как постепенно, кроме наставлений и рассказов о плохих и хороших детях, появились прекрасные авторские сказки, рассказы и стихи о том, чем живут дети, что им интересно, то есть о мире детства. Как в круг детского чтения входили стихи и рассказы о природе, воспоминания писателей о своём детстве; как были созданы интересные учебные книги для чтения.

Вы встретили новые для себя имена: Савватий, Карион Истомин, Симеон Полоцкий, Дмитрий Герасимов, Андрей Болотов, Николай Новиков, Александр Шишков, Антоний Погорельский, Владимир Даль, Алексей Константинович Толстой, Александра Ишимова. Надеемся, что вы запомнили эти имена. Все эти писатели — часть нашей национальной культуры, так же как и знакомые вам Александр Пушкин, Василий Жуковский, Иван Крылов, Алексей Плещеев, Аполлон Майков, Фёдор Тютчев, Николай Некрасов, Сергей Аксаков, Лев Толстой, Константин Ушинский, Александр Куприн.

Но наше путешествие ещё не закончилось. Хотите познакомиться с самой любимой детской писательницей начала XX века? Хотите узнать, кто такие обэриуты и что они написали для детей? Хотя нет, пожалуй, мы не будем перечислять, что ждёт вас во второй части учебника. Скажем только, что в ней много неожиданностей, сюрпризов, удивительных открытий и просто очень-очень интересных страниц. Торопитесь! Наши герои собираются отправиться в XX век.

СОДЕРЖАНИЕ

Раздел 3
XIX век. ПУТЕШЕСТВИЕ ПРОДОЛЖАЕТСЯ...